本を守ろうとする猫の話

# O GATO QUE AMAVA LIVROS

*8ª reimpressão*

本を守ろうとする猫の話
夏川草介

# O
# GATO
# QUE
# AMAVA
# LIVROS

## SOSUKE
## NATSUKAWA

Tradução
Fernanda Dias

本を守ろうとする猫の話 (Hon o Mamoroutosuru Neko no Hanashi), de Sosuke Natsukawa
Copyright © Sosuke Natsukawa, 2017
Todos os direitos reservados.
Edição original em japonês publicada por Shogakukan. Edição em português para o Brasil acordada com Shogakukan, por meio da Emily Publishing Company, Ltd. e da Agência Literária Casanovas & Lynch S. L.
Copyright © Editora Planeta do Brasil, 2022
Copyright da tradução © Fernanda Dias
Título original em inglês: *The Cat Who Saved Books*

*Preparação*: Fernanda Guerriero Antunes
*Revisão*: Andréa Bruno e Renato Ritto
*Projeto gráfico e diagramação*: Márcia Matos
*Capa e ilustração*: Penguin Random House Grupo Editorial/Carlos Pamplona
*Adaptação de capa*: Beatriz Borges
*Imagens de miolo*: Freepik

Dados Internacionais de Catalogação na Publicação (CIP)
Angélica Ilacqua CRB-8/7057

---

Natsukawa, Sosuke
  O gato que amava livros / Sosuke Natsukawa; tradução de Fernanda Dias. - São Paulo: Planeta do Brasil, 2022.
  240 p.

ISBN 978-65-5535-778-3
Título original: The Cat Who Saved Books

1. Ficção japonesa 2. Literatura fantástica I. Título II. Dias, Fernanda

22-2031                                                      CDD 895.63

---

Índice para catálogo sistemático:
1. Ficção japonesa

Ao escolher este livro, você está apoiando o manejo responsável das florestas do mundo e outras fontes controladas

2025
Todos os direitos desta edição reservados à
EDITORA PLANETA DO BRASIL LTDA.
Rua Bela Cintra, 986 – 4º andar
01415-002 – Consolação
São Paulo-SP
www.planetadelivros.com.br
faleconosco@editoraplaneta.com.br

# PRÓLOGO

# COMO TUDO COMEÇOU

Vamos começar pelo começo: *o vovô morreu.*
A história a seguir é bastante impressionante, mas um fato é, com certeza, absolutamente real.

É tão real quanto o sol nascendo pela manhã e seu estômago roncando de fome na hora do almoço. Ele já tentou fechar os olhos, tampar os ouvidos, fingir que não sabe de nada, mas seu avô não vai voltar.

Rintaro Natsuki permanece em silêncio e imóvel perante a difícil realidade. Por fora, a imagem de Rintaro é a de um jovem calmo e comedido. No entanto, algumas das pessoas no velório acham-no meio sinistro. Parece moderado demais para um estudante de ensino médio que acabou de perder o familiar mais próximo. Do canto do salão onde ocorre o velório, os olhos de Rintaro fitam o retrato do avô.

Na verdade, Rintaro não está nem um pouco calmo ou comedido. A mera noção de morte não é algo familiar: ele não consegue ligá-la ao avô, um homem sereno que parecia existir em algum outro universo. Nunca achou que a morte chegaria para o vovô, que desfrutava de um estilo de vida simples, quase monótono. Enquanto Rintaro olha para o avô, deitado ali, sem respirar, sente-se desconectado, como se assistisse a uma peça de teatro ruim.

Agora, deitado no caixão branco, o avô tem a aparência de sempre: como se absolutamente nada tivesse acontecido; como se, a qualquer momento, ele pudesse se levantar, resmungar "muito bem", acender o aquecedor e preparar o chá que sempre tomava. Rintaro teria achado perfeitamente normal, mas nada disso acontece. Ao contrário: o velho permanece no caixão, com os olhos fechados e um semblante solene.

Os cânticos da sutra ecoam, monótonos, e os enlutados passam, sozinhos ou em pares, oferecendo condolências a Rintaro.

Vamos começar pelo começo: o vovô morreu.

Aos poucos, a realidade começa a enraizar-se no coração de Rintaro. Ele, enfim, consegue expulsar algumas palavras:

— Isso não faz sentido, vovô.

Mas não há resposta.

Rintaro Natsuki era um estudante comum do ensino médio. Era baixo, pálido, usava óculos bastante grossos e raramente falava. Não havia uma disciplina na escola em que ele se destacasse, e também não era bom em esportes. Era um rapaz completamente mediano.

Os pais de Rintaro haviam se separado quando ele ainda era bebê. Depois que sua mãe faleceu, logo que ele entrou no ensino fundamental, foi morar com o avô. Eram só os dois desde aquela época. Essa maneira de viver era um tanto incomum para um jovem estudante, mas, para Rintaro, só fazia parte de sua pacata existência cotidiana.

Mas, agora, o avô também falecera, o que complicava a história. A morte dele fora muito repentina.

Seu avô sempre acordava com as galinhas; porém, naquela manhã de inverno amargamente fria, ele não estava na cozinha, como de costume. Intrigado, Rintaro enfiou a cabeça para dentro do quarto de tatame mal iluminado onde o avô dormia. O velho ainda estava aninhado no futom, já tendo dado seu último suspiro. Não parecia que sofrera – para Rintaro, ele parecia mais uma escultura de alguém dormindo. Na opinião do médico da cidade, era provável que tivesse sofrido um ataque cardíaco e morrido rápido.

— Ele fez uma passagem tranquila.

Ao combinar o kanji de "vida" com o de "morte", forma-se uma palavra estranha que pode ser lida como "fez a grande passagem". De alguma forma, deparar-se com ela na fala do médico foi o que mais o abalou – soou deslocada.

O médico logo percebeu quão complicada era a situação familiar de Rintaro; pouco tempo depois, uma tia chegou de uma cidade distante.

Uma mulher de bom coração e eficiente, que lidou com toda a papelada relacionada ao atestado de óbito, a organização do velório e outras formalidades. Enquanto a observava, Rintaro fez questão de parecer um pouco triste, apesar da sensação constante de que nada disso era real. Mas, não importava o quanto pensasse nisso, ele não conseguia de jeito nenhum choramingar diante da foto exposta no funeral do avô. Para ele, soava absurdo, e seria uma mentira. Podia imaginar o vovô resmungando dentro do caixão, mandando Rintaro parar de onda.

No fim, Rintaro se despediu do avô em absoluto silêncio. Tudo o que lhe restava agora eram uma tia preocupada... e uma livraria.

A Livraria Natsuki era um pequeno sebo na periferia da cidade. Não perdia dinheiro a ponto de ser considerada um prejuízo, nem dava tanto lucro para que fosse vista como fonte de riqueza. Não era uma grande herança.

— Aí, Natsuki, tem uns livros bem legais aqui.

A voz masculina veio das costas de Rintaro. Ele não se virou.

— É mesmo? — perguntou Natsuki com os olhos fixos nas prateleiras diante dele. Começavam no chão e se estendiam até o teto, ocupadas com uma quantidade impressionante de livros.

Havia Shakespeare e Wordsworth, Dumas e Stendhal, Faulkner e Hemingway, Golding... demais para listar. Algumas das maiores obras-primas que o mundo já vira – volumes majestosos, célebres – olhavam de volta para Rintaro. Eram todos livros usados, que já tinham história, mas nenhum deles parecia gasto ou puído, sem dúvida, graças ao cuidado atencioso de seu avô.

Aos pés de Rintaro, o igualmente usado aquecedor emanava uma luz laranja, mas, apesar de todo o esforço, o interior da loja estava gelado. Ainda assim, Rintaro sabia que não era só a temperatura ambiente que lhe dava arrepios.

— E aí, você faz esses dois aqui por quanto?

Rintaro virou a cabeça e olhou para os livros estendidos em sua direção.

— Por três mil e duzentos ienes — respondeu em voz baixa.

— O raciocínio afiado como sempre.

O cliente, um garoto da mesma escola, estava um ano à frente de Rintaro e se chamava Ryota Akiba. Era alto e esguio, tinha uma expressão animada e um jeito calmo, confiante, que era bastante agradável. Além do físico forte, desenvolvido por anos de treinos de basquete, era uma das melhores mentes de sua turma. Não só isso, era filho do médico da cidade. O garoto fazia uma quantidade enorme de atividades extracurriculares – em outras palavras, era o exato oposto de Rintaro em todos os sentidos.

— E são uma pechincha.

Sem demora, Akiba começou a empilhar mais cinco ou seis livros no balcão, perto do caixa. O Sr. Pau-Para-Toda-Obra era um leitor voraz e um dos clientes mais fiéis da Livraria Natsuki.

— Sabe, essa loja é muito boa mesmo.

— Obrigado. Fique à vontade para olhar. É um bota-fora, vamos fechar.

Com a indiferença na voz de Rintaro, era difícil dizer se ele estava falando sério.

Akiba ficou em silêncio por um instante.

— Deve ter sido horrível pra você — ele começou, cuidadoso — perder seu avô. — Akiba voltou sua atenção para uma estante próxima e fingiu examinar as prateleiras. — Parece que ontem mesmo ele estava sentado ali, lendo — continuou de um jeito casual. — Foi tão de repente.

— É, sinto o mesmo.

Rintaro parecia só estar tentando ser educado; mesmo que de fato se sentisse do mesmo jeito, não havia nenhum resquício de simpatia ou sociabilidade em sua voz. Akiba não pareceu se importar. Virou-se para olhar o rapaz mais novo, que ainda encarava as prateleiras.

— Mas, logo que ele morreu, você parou de ir pra escola. Não é legal. Todo mundo tá preocupado com você.

— Quem é "todo mundo"? Não consigo pensar em uma pessoa sequer que poderia estar preocupada comigo.

— Ah, é verdade, você não tem amigos. Isso deve simplificar a vida. Mas, sério, seu avô deve estar doente de preocupação. Você deve ter deixado ele tão angustiado que o fantasma dele continua vagando por aí. Como você quer que ele descanse em paz? Seu avô era velho demais para um luto desse tamanho.

As palavras de Akiba foram duras, mas havia certa gentileza na forma como ele as pronunciara. Por causa da conexão dos dois com a Livraria Natsuki, Akiba tinha uma fraqueza em relação ao garoto mais novo e sua tendência a se isolar como um *hikikomori*.[1] Até na

---

1. Hikikomori é um termo em japonês que se refere a pessoas reclusas em seus próprios quartos ou casas e que se isolam do mundo (em alguns casos, até da família) por meses ou anos. (N.T.)

escola, ele parava Rintaro às vezes para um papo rápido. Agora, sua preocupação era evidente; Akiba passara na livraria só para ver como o garoto estava.

Akiba observava Rintaro, que permanecia calado. Até que o primeiro rompeu o silêncio:

— Imagino, então, que você vá se mudar.

— Acho que sim — disse Rintaro, sem tirar os olhos das prateleiras. — Vou morar com a minha tia.

— Onde ela mora?

— Não sei. Eu a conheci quando meu avô morreu.

O tom da voz de Rintaro não mudava; era impossível saber em que ele estava pensando.

Com um leve chacoalhar de ombros, Akiba baixou o olhar para os livros que colocara sobre o balcão.

— É por isso que você tá fazendo o bota-fora?

— Sim.

— Que pena. O acervo desta livraria é único. Hoje em dia, é raro se deparar com uma coleção inteira do Proust em capa dura, por exemplo. Encontrei aqui os volumes que estava procurando de *The Soul Enchanted* [A alma encantada], do Romain Rolland, finalmente.

— Meu vô ficaria feliz em saber disso.

— Se ele estivesse aqui pra ouvir isso, teria ganhado o dia. Sabe, ser seu amigo me ajudou a conseguir tantos livros bons. E agora você vai embora.

A franqueza de Akiba era seu jeito de expressar preocupação. Rintaro não sabia qual era a melhor forma de reagir, então encarou a parede onde estava uma pilha gigantesca de livros. Era impressionante que tivessem conseguido manter o sebo com o tipo de livros que tinham em estoque, a maioria dos quais muito distantes das tendências do momento e muitos já fora do mercado. Os elogios de Akiba à livraria não eram só para ser gentil com Rintaro – havia muita verdade neles.

— Quando você se muda?
— Provavelmente em uma semana.
— Provavelmente? Vago como sempre!
— Não importa. Não tenho escolha mesmo.
— Acho que não.

Akiba chacoalhou os ombros de novo e olhou para o calendário pendurado atrás do balcão.

— O Natal é semana que vem. Difícil.
— Não me importo muito com o Natal. Ao contrário de você, não tenho nenhum plano especial.
— Obrigado por me lembrar. É, minha agenda é bem agitada. Cheia. Sabe, ainda quero ficar acordado um ano pra ver o Papai Noel com meus próprios olhos.

Akiba caiu na gargalhada, mas Rintaro não.

— Ah, é mesmo? — respondeu Rintaro em voz baixa.

Akiba fez uma careta e suspirou.

— Se você vai se mudar, acho que não tem sentido se esforçar pra ir pra escola, mas não acha que deveria ir embora deixando uma boa impressão? Tem pessoas da sua turma que se importam com você, sabe?

Akiba olhou para a pilha de folhetos e cadernos no balcão. Ele não os havia trazido; um pouco mais cedo, a representante da turma de Rintaro deixara-os ali.

Ela se chamava Sayo Yuzuki e morava ali perto. Conhecia Rintaro desde criança. Fazia o tipo forte, focada e não muito próxima do quieto, *hikikomori*, Rintaro. Quando apareceu na livraria e viu o garoto encarando as prateleiras, deixou escapar um suspiro afiado.

— Parece que você não tem nada com que se preocupar. Acho que a vida de *hikikomori* anda boa, né? Você tá bem?

Rintaro chacoalhou os ombros. Sayo franziu as sobrancelhas e, em seguida, virou-se para Akiba.

— Era mesmo pra você estar aqui? O time de basquete todo tá procurando por você.

Então ela se virou e marchou para fora da loja.

Não tinha medo nenhum de ser direta com um garoto mais velho. Era algo típico de Sayo Yuzuki; esse era seu jeito de mostrar que se importava. Rintaro a admirava por isso.

— A representante da sua classe é sempre tão determinada — Akiba comentou. — Deve se sentir responsável por você. Ela não precisava vir trazer sua lição de casa pessoalmente.

Ainda que Sayo não morasse longe, Rintaro se deu conta de que devia ter sido um saco desviar do próprio caminho quando a temperatura estava tão fria que a respiração produzia fumaça.

— Esse você leva por seis mil ienes — disse.

Akiba ergueu uma sobrancelha.

— Meio salgado pra um bota-fora.

— Desconto de dez por cento. Não consigo fazer melhor que isso. Você tá adquirindo obras-primas da literatura.

— Clássico Natsuki — Akiba disse, rindo. Ele puxou várias notas da carteira e pegou o cachecol e as luvas do balcão. Enquanto ajeitava a mochila sobre o ombro, acrescentou: — Vá pra escola amanhã.

E, com seu típico sorriso animado, Akiba saiu da loja.

A Livraria Natsuki mergulhou no silêncio. Para além da porta, o pôr do sol produzia um brilho avermelhado. No canto, o aquecedor, já quase sem querosene, começava a chiar.

Já estava na hora de subir e fazer o jantar. Quando seu avô estava vivo, essa era mesmo uma tarefa de Rintaro, então ele não se importava.

Ainda assim, Rintaro permaneceu imóvel, encarando a porta da loja.

O sol afundou mais no céu, o aquecedor se rendeu e o ar frio começou a tomar conta da loja. Mesmo assim, Rintaro não se mexeu.

capítulo 1

# O PRIMEIRO LABIRINTO

# O APRISIONADOR
# DE LIVROS

A Livraria Natsuki era uma lojinha escondida em uma rua da parte antiga da cidade. E bastante peculiar.

A entrada levava direto aos fundos da loja por um corredor comprido. Cada lado do corredor tinha filas enormes de prateleiras que se empilhavam até o teto, e cada uma delas estava abarrotada de livros. Lâmpadas em estilo retrô dependuravam-se do alto, cuja luz suave refletia-se no chão de madeira encerado.

Mais ou menos na metade do caminho, uma mesa simples de madeira era usada para tratar das vendas; mas, além dela e de uns banquinhos de madeira, não havia nenhum outro móvel ou decoração de qualquer tipo. Nos fundos da loja, o corredor terminava em uma parede simples de madeira, mas, ao entrar pela porta da frente com a luz do dia, a impressão era de que o lugar era muito maior. Cercado por paredes de livros, era como entrar em um portal infinito que desaparecia na escuridão.

A imagem do avô lendo um livro em silêncio sob uma lâmpada na pequena mesa ficou gravada na memória de Rintaro; as linhas haviam sido desenhadas com simplicidade, porém com cuidado, como uma pintura a óleo de um exímio artista.

— Os livros têm um poder extraordinário.

Esse era o mantra de seu avô.

Para dizer a verdade, o velho não era muito falante, mas, quando o assunto eram livros, de repente ele se enchia de vida. Os olhos quase cerrados abriam caminho para um sorriso largo, e as palavras voavam da boca com uma energia extasiada:

— *Existem histórias atemporais, poderosas o suficiente para sobreviverem ao longo dos anos. Leia muitos desses livros; serão como amigos para você. Eles vão te inspirar e dar apoio.*

Rintaro passou os olhos pelas paredes de livros da pequena livraria. As prateleiras não tinham nenhum dos best-sellers do momento. Nem mangás, nem revistas populares. Hoje em dia, os livros nem vendiam mais como antigamente. Os clientes fiéis costumavam demonstrar preocupação com a sobrevivência da Livraria Natsuki, mas o velho e franzino livreiro respondia apenas com um aceno e um breve "obrigado". As obras completas de Nietzsche e as coleções usadas da poesia de T. S. Eliot permaneceram expostas perto da entrada.

O espaço que seu avô criara era o refúgio perfeito para um garoto um tanto recluso. Rintaro, que nunca se encaixara muito bem na escola, desenvolveu o hábito de ir até a loja e mergulhar nos livros, devorando qualquer coisa que encontrasse nas prateleiras.

Em outras palavras, era o porto seguro de Rintaro, um lugar em que encontrava abrigo do mundo exterior. Mas agora, dentro de alguns dias, ele seria obrigado a deixar a Livraria Natsuki para sempre.

— Vovô, isso não faz sentido — sussurrou.

Naquele momento, o toque animado da antiquada campainha suspensa à porta da frente trouxe-o de volta à realidade. Em geral, significaria que um cliente entrara, mas a placa de "fechado" estava pendurada. Lá fora, o sol havia se posto e, depois da porta de vidro, não existia nada além da escuridão. Parecia que Akiba acabara de sair, mas, de alguma forma, passou-se um grande lapso de tempo.

Decidindo que a campainha fora um truque de sua imaginação, Rintaro voltou a olhar as prateleiras.

— Meio sombrio, este lugar.

A voz o pegou de surpresa. No entanto, quando se virou para conferir a entrada, não havia ninguém ali.

— Uma pena, você tem uma tremenda coleção aqui, mas esses livros estão desintegrando neste lugar velho e acabado.

Rintaro percebeu que a voz vinha do fundo da loja. Ele se virou e... não viu ninguém. A não ser, é claro, um gato malhado. Parecia um gato laranja malhado como qualquer outro; era bem grande e rechonchudo e tinha a pelagem listrada de laranja e amarelo. Esse gato, em particular, tinha listras que iam do topo da cabeça até o dorso e o rabo – um típico gato malhado –, mas a barriga e as patas eram completamente brancas. Contrastando com o fundo mal iluminado, seus olhos eram duas jades brilhantes. E estavam grudados em Rintaro.

Rintaro observou o gato sacudir o rabo.

— Você é um gato!

— Algum problema? — perguntou o gato.

Não havia dúvida: o gato estava falando.

Apesar de abalado, Rintaro conseguiu reunir um pouco de calma. Fechou bem os olhos e contou até três. E, então, abriu-os de novo.

Cobertura peluda, rabo espesso, dois olhos verdes penetrantes e duas orelhas triangulares perfeitas: não havia absolutamente nenhuma dúvida quanto a isso. Era um gato.

Os bigodes do gato malhado tremeram.

— Aí, garoto, tem alguma coisa errada com os seus olhos? — ele perguntou. Era uma criatura que não media as palavras.

— Não... eu... é... — Rintaro ficou procurando o que dizer. — Não enxergo lá muito bem, mas consigo *ver* que tem um gato falante bem na minha frente.

— Maravilha — disse o gato, acenando com a cabeça. — O nome é Tigre. Tigre, o gato malhado — continuou.

Não havia nada mais bizarro do que um gato se apresentando para você do nada, mas Rintaro, de alguma forma, conseguiu retribuir.

— Meu nome é Rintaro Natsuki.

— Eu sei. Você é o novo proprietário da Livraria Natsuki.

— Novo proprietário?

Rintaro estava confuso. Era a primeira vez que ele ouvia falar disso.

— Lamento informar que sou só um estudante de ensino médio, um *hikikomori* — ele explicou. — Meu vô sabia tudo sobre livros, mas ele não está mais aqui.

— Sem problemas — anunciou o gato malhado. — Meu negócio é com você, o novo proprietário.

O gato encarou Rintaro com os olhos um tanto apertados.

— Preciso da sua ajuda.

— Minha ajuda?

— Isso. Sua ajuda.

— Ajuda com...?

— Alguns livros foram aprisionados.

— Livros?

— Você é um papagaio? Para de repetir tudo o que eu falo como um imbecil qualquer.

As palavras acertaram o rosto de Rintaro como um tapa. O gato, no entanto, não deu nenhuma atenção para a reação dele.

— Preciso resgatar esses livros. — Os olhos de jade piscaram. — E você tem que me ajudar.

Rintaro ficou em silêncio por um instante, observando o gato malhado laranja. Em seguida, ergueu a mão direita devagar e começou a mexer na armação dos óculos. Era o que costumava fazer enquanto pensava.

*Devo estar muito cansado*, pensou.

Rintaro fechou os olhos enquanto mantinha a mão na armação dos óculos.

A morte do avô e o estresse do velório o deixaram exausto. Ele devia ter caído no sono sem perceber e, agora, estava sonhando. Convencido pelo próprio raciocínio, abriu os olhos mais uma vez. Mas ainda havia um gato malhado sentado tranquilo diante dele.

*Beleza, agora estou encrencado.*

*Se parar para pensar, faz dias que estou sentado aqui encarando essas prateleiras.*

*Estou muito atrasado nas leituras...*

*Onde foi que deixei aquele exemplar de Cândido ou o otimismo que acabei de começar?*

Pensamentos aleatórios começaram a pipocar na cabeça do garoto.

— Tá escutando, Sr. Proprietário?

O tom afiado do gato malhado furou a bolha de pensamentos de Rintaro.

— Olha, garoto, vou falar de novo. Preciso que você me ajude a salvar esses livros.

— Você diz que precisa de mim, mas... — Rintaro tentava encontrar as palavras certas. — Sou inútil. Como falei, sou só um estudante de ensino médio, um *hikikomori* — falou com franqueza de seu lugar atrás do caixa.

Por algum motivo, ele não conseguia mentir para o gato malhado falante.

— Sem problemas. Já sabia que você era um garoto miserável e recluso que não serve pra nada — o gato zombou. — Mas, ainda assim, preciso te pedir um favor.

— Se você já sabia disso, por que está pedindo minha ajuda? Deve haver milhões de pessoas que poderiam fazer isso melhor do que eu.

— Sem dúvida.

— E acabei de perder meu vô. Tô bem deprimido agora.

— Entendo.

— Então por que...

— Você não gosta de livros?

A voz profunda do gato malhado repeliu todos os protestos de Rintaro. Estava mais gentil, mas também repleta de determinação. Rintaro não estava entendendo do que o gato estava falando, mas a

presença forte e o poder de sua fala pareciam despi-
-lo de qualquer razão.

Os olhos de jade encararam os de Rintaro.

— Sim... Sim, é claro que eu gosto de livros.

— Então o que te impede?

Todos os aspectos do gato malhado eram ousa-
dos e confiantes – muito diferentes dos do próprio
Rintaro. O garoto começou a mexer na armação dos
óculos de novo, tentando desesperadamente compreender o que estava acontecendo. Mas nenhuma
explicação fazia sentido.

— As coisas importantes são sempre difíceis de
entender, Sr. Proprietário — disse o gato, como se
lesse os pensamentos de Rintaro. — A maioria das
pessoas não entende essa verdade tão óbvia. Passam
os dias vivendo as próprias vidas, mas *"só se vê bem
com o coração. O essencial é invisível aos olhos"*.[2]

— Olha! — Os olhos de Rintaro saltaram. — Nunca
achei que ia ouvir um gato citando O *Pequeno Príncipe*.

— Não é muito fã do Saint-Exupéry?

— É um dos meus autores favoritos — Rintaro
respondeu, apontando para uma prateleira próxima —, mas acho que gosto mais de *Voo noturno*. E
não consegui largar *Correio sul*.

— Maravilha — disse o gato malhado com um
sorrisinho.

---

2. O *Pequeno Príncipe*, Antoine de Saint-Exupéry. Tradução de Dom Marcos Barbosa. Rio de Janeiro: Agir, 2006.

A postura do gato trouxe ao garoto um forte sentimento de nostalgia. De alguma forma, lembrava-o do avô, exceto pelo fato de que o vovô nunca fora tão falante.

— Então você vai me ajudar?

Rintaro sacudiu os ombros.

— Eu tenho o direito de recusar?

— Você tem — respondeu imediatamente o gato. — Mas ficarei muitíssimo decepcionado se você recusar — acrescentou, rabugento.

Rintaro fez uma careta.

*Então esse gato aparece aqui do nada, me pedindo ajuda, e aí diz que vai ficar muitíssimo decepcionado se eu não concordar...*

Não fazia sentido e, ainda assim, havia um apelo no jeito direto de falar do gato – Rintaro não conseguia ficar bravo. Sim, pensando bem, esse gato devia ser bastante parecido com o avô.

— Então o que você precisa que eu faça?

— Me acompanhe.

— Para onde?

— Anda!

O gato se virou e dirigiu-se não à porta da frente, mas às sombras da outra extremidade da loja. Um tanto confuso, Rintaro o seguiu, mas dera poucos passos quando uma sensação curiosa de vertigem tomou conta dele. A Livraria Natsuki era comprida e estreita; esperava colidir contra a parede dos fundos em mais alguns passos. Mas hoje não havia bloqueio.

O corredor de paredes altas repleto de estantes de livros não terminava. As lâmpadas antiquadas no alto também pareciam se repetir infinitamente. Enquanto caminhavam, Rintaro percebeu que as prateleiras estavam cheias de livros que ele nunca vira antes. Muitos deles eram diferentes dos livros encadernados de sempre. Eles haviam abandonado os velhos livros usados e chegado a belos tomos encadernados em couro, gravados a ouro: o caminho se tornara uma galeria de livros belíssimos.

— Is... Isso... Eu, é...

Rintaro começou a resmungar coisas sem sentido. O gato olhou para trás.

— Está com medo, Sr. Proprietário? Se vai me dar o cano, esta é sua chance.

— Só estava me perguntando quando foi que a loja recebeu todos esses livros novos — Rintaro respondeu, olhando ao longe e, em seguida, para o gato. — Com todos esses livros para ler, acho que não estou pronto para deixar a vida de hikikomori ainda. Talvez eu deva perguntar à minha tia se podemos adiar a mudança.

— Hum. Seu senso de humor deixa a desejar, mas você tem o coração no lugar certo. O mundo coloca todo tipo de obstáculo no nosso caminho e somos obrigados a aguentar tanta coisa que chega a ser absurdo. Nossa melhor arma para lutar contra toda a dor e dificuldade não é a lógica, tampouco a violência. É o humor.

Depois de jogar essa pílula de sabedoria no estilo de algum filósofo antigo, o gato malhado continuou marchando pelo corredor.

— Vamos, Sr. Proprietário.

Rintaro obedeceu e seguiu-o.

Logo as estantes estavam abarrotadas com uma variedade de calhamaços totalmente desconhecidos por ele. À medida que o garoto e o gato avançavam, o caminho se impregnava de um leve brilho azulado. Foi clareando aos poucos, até que, enfim, todo o espaço foi tomado por uma forte luz branca.

Ele viu a luz do sol forte e árvores chacoalhando suavemente.

A luz branca desapareceu e Rintaro se viu cercado por uma paisagem bastante agradável. A seus pés, o piso de pedra brilhava forte com o sol. Acima, os galhos de uma grande árvore-da-seda balançavam com a brisa, criando uma chuva brilhante com os raios de sol. E, adiante... Rintaro apertou os olhos para tentar decifrar.

— Um portão?

A uma curta distância, no topo de um lance de escadas de pedra, havia um magnífico portal *yakuimon*.[3]

---

[3]. Um tipo de portal japonês coberto por um telhado de duas águas de telhado, sustentado por quatro pilares. (N.T.)

O telhado era composto de telhas tradicionais, e as enormes portas de madeira polida emitiam um brilho suave, mas a sensação que dava era de algo um tanto opressor. Rintaro olhou para a esquerda e para a direita. Em ambas as direções, uma parede plana se estendia até onde a vista alcançava. Ao lado do portão principal, na parede, existia uma porta menor; a placa de identificação parecia estar em branco.

As pedras regulares do piso, estendendo-se ao longe, estavam imaculadas. Não havia nem mesmo uma folha caída na superfície. As partículas de luz que escapavam pelos vãos entre o telhado e as árvores cintilavam como gotículas dançantes de água.

Não era possível ver uma alma sequer.

— Chegamos — disse o gato. — Este é o nosso destino.

— É aqui que os livros estão?

— Estão aprisionados ali atrás.

Rintaro olhou de novo para o magnífico portão e para a árvore acima dele. Os galhos gigantes estavam cobertos de flores. Achou estranho. Era dezembro, o que fazia a árvore parecer ainda mais incomum. Mas, até aí, tudo o que ele tinha visto hoje, desde o início, fora um desafio ao bom senso. A essa altura, parecia que não valia a pena questionar as flores resilientes.

— Que mansão impressionante. Só esse portão já tem o tamanho da nossa livraria.

— Não se preocupe. É só fachada. Por trás de um portão enorme e impressionante, vive um homem deplorável.

— Bom, do ponto de vista de um estudante que vive em uma casa deplorável, eu não desprezaria um portão desses.

— Aproveite bastante a sua liberdade para ficar aí reclamando — disse o gato. — Se não conseguirmos resgatar esses livros, você ficará preso neste labirinto para sempre.

Rintaro ficou pasmo.

— ... Eu, é... parece que você deixou esse detalhe de fora.

— Bom, obviamente, se eu tivesse te falado isso antes, você não teria aceitado vir. Às vezes, a ignorância é uma bênção.

— Isso é golpe baixo.

— Mas é mesmo? Você lá parado com a sua cara miserável deixava bem claro que não tinha muito a perder.

As palavras do gato eram veneno puro. *Então é isso que querem dizer com "brutalmente sincero",* Rintaro pensou. Ele encarou o glorioso céu azul e elaborou uma resposta:

— Não sinto prazer em machucar animais estúpidos, mas... — Ele parou para ajustar os óculos. — ... no momento, estou sentindo um desejo incontrolável de te pegar pelo pescoço e te sacudir.

— Maravilha. Esse é o espírito!

Com total elegância, o gato começou a subir os degraus em direção ao portão. Rintaro foi correndo atrás dele.

— Só tô aqui pensando: o que acontece se não conseguirmos voltar?

— Provavelmente estaremos condenados a percorrer a extensão destas paredes por toda a eternidade. Mas, também, nunca fiquei preso aqui, então, para ser sincero, eu não sei.

— Isso não é nada bom.

Rintaro parou no último degrau, diante das enormes portas de madeira.

— E aí, o que eu tenho que fazer?

— Falar com o senhor da mansão.

— E depois?

— Se conseguir persuadi-lo, terminamos.

— É só isso?

Rintaro parecia surpreso. Mas o gato não havia acabado.

— Tenho mais uma tarefa para você — ele anunciou em um tom pomposo. — Você poderia apertar a campainha?

Rintaro fez o que ele pediu.

Da pequena porta que havia no portão, saiu uma mulher atraente vestida com um singelo quimono índigo. Pelos modos contidos, seria possível presumir que era uma senhora de idade, mas era difícil estimar com exatidão. Não havia nada de acolhedor nela, cujo olhar era morto. Pelo grampo ornamental vermelho preso no coque e pela pele branca como porcelana, poderia com facilidade ter sido confundida com uma deslumbrante boneca japonesa.

Rintaro não conseguia falar.

— Pois não? — disse ela, com a voz monótona.

O gato assumiu a conversa, diante do garoto desnorteado:

— Gostaríamos de falar com o seu marido.

A mulher virou os olhos sem vida em direção ao gato. Rintaro sentiu um arrepio amedrontado percorrer seu corpo, mas tanto o gato quanto a mulher pareciam completamente inabalados.

— Meu marido é um homem ocupado. Visitantes inesperados...

O gato a interrompeu:

— Trata-se de um assunto de extrema importância. E urgência. Por gentileza, informe que estamos aqui.

— Meu marido recebe visitas de pessoas que alegam ter assuntos importantes e urgentes a tratar com ele todos os dias, mas está ocupado demais com as aparições na TV e nas rádios. Não é uma agenda que lhe permite receber visitantes inesperados. Por favor, voltem outro dia.

— Não temos tempo para isso.

A determinação na voz do gato malhado pegou a mulher de surpresa. O gato aproveitou a deixa:

— Viemos para tratar de livros. Este jovem rapaz aqui traz informações de suma importância para o seu marido. Tenho certeza de que ele conseguirá arrumar um tempo para nós dois.

O jeito do gato pareceu causar alguma reação na mulher de quimono. Ela permaneceu ali por um instante, parecia ponderar as palavras do gato. Enfim, gesticulando um "esperem aqui", ela fez uma rápida reverência e desapareceu pela porta.

Rintaro encarou o gato.

— Quem tem um *assunto de extrema importância*? — perguntou.

— Não vamos nos preocupar com os detalhes por enquanto. A meu ver, estamos usando a estratégia do próprio blefador contra ele. Blefar com o blefador, por assim dizer. Vamos pensar no que dizer quando estivermos lá dentro.

— Isso é tão...

Rintaro hesitou por um instante.

— ...*tranquilizador*! — disse, por fim.

A mulher logo reapareceu. Fez uma reverência para o garoto e para o gato e dirigiu-se a eles na mesma monotonia:

— Por aqui, por favor.

Do outro lado do portão, erguia-se uma mansão majestosa, muito diferente de qualquer outra que Rintaro já tinha visto.

Eles caminharam pelas pedras ordenadas, passaram pela porta de treliça e tiraram os sapatos no *genkan*, o saguão de entrada. Em seguida, depararam-se com um corredor com piso de madeira polida. Ele conduzia à *engawa*, a varanda que circundava a casa, que, por sua vez, levava a uma espécie de ponte ligada a um edifício anexo.

Da ponte, conseguiam ver amplos jardins em estilo japonês. Os pássaros cantavam nas árvores e os arbustos de azaleia podados com zelo estavam completamente floridos – mais uma vez, florescendo fora da estação.

— Você não disse que a casa era modesta? — falou Rintaro.

— Quis dizer como uma alegoria. Pare de tagarelar. Economize o fôlego.

Rintaro e o gato sussurravam furiosos um com o outro, mas a mulher que os guiava não disse uma palavra sequer.

Conforme caminhavam, o cenário começou a mudar. O que antes parecia ser uma tradicional residência japonesa sofreu uma mudança bizarra.

Primeiro, a varanda de madeira tornou-se uma escadaria de mármore e os amplos jardins, que em dado momento eles observaram do corrimão de uma ponte em estilo chinês, de repente se transformaram nos típicos jardins de um palácio ocidental, repletos de requintadas fontes de pedra e estátuas nuas. E, logo adiante, depois das portas de papel *fusuma*, em estilo japonês, pintados com desenhos delicados de bambu, eles podiam ver lustres brilhantes e vasos em cores vivas sobre mesas de chá *art déco*.

— Não sei você, mas eu tô ficando com dor de cabeça — disse Rintaro.

— Igualmente.

Foi a primeira vez que o gato concordou com ele.

— Parece que pegaram um monte de coisas de todos os cantos do mundo e jogaram em um só lugar — Rintaro continuou.

— Parece cheio, mas, na verdade, está vazio.

A resposta do gato foi muito zen.

— Não há nenhuma filosofia por trás, nenhum gosto em particular. Não importa o quão abastado e maravilhoso pareça por fora, quando você tira a tampa e olha por dentro, não há nada além de uma confusão de lixos emprestados. É o pior tipo de ignorância.

— Acho que você foi longe demais — disse Rintaro.

— Só estou falando a verdade. E, de qualquer forma, isso é muito comum. Você vê em todos os lugares, todos os dias.

— Esta mansão — disse a mulher, delicadamente interrompendo o gato — foi decorada para refletir a rica e diversa gama de experiências e excelente opinião de meu marido. Presumo que esteja além de sua compreensão.

Por uma fração de segundo, Rintaro achou que era algum tipo de piada. A mulher andava à frente, portanto ele não conseguia ver seu rosto, mas então percebeu que ela não parecia estar se divertindo.

Havia uma estranha tensão no ar conforme avançavam cada vez mais pela residência. Corredores, escadas, varandas – a distância que percorriam era impressionante. E passavam o tempo todo por esculturas de marfim misturadas a pinturas japonesas, estátuas de Vênus, espadas *katana*. Parecia não haver consonância ou razão por trás do arranjo de qualquer um daqueles ornamentos. A disposição dos objetos parecia não ter pé nem cabeça.

A direção em que se moviam mudava sem aviso prévio, de modo que não tinham a menor ideia de onde estavam em meio ao caos.

De vez em quando, a mulher se virava e perguntava por cima do ombro: "Vocês estão bem?" – e Rintaro e o amigo malhado não tinham escolha a não ser assentir com a cabeça e segui-la.

— Mesmo que nos mandassem embora agora, não sei se eu conseguiria encontrar o caminho de volta — sussurrou Rintaro.

— Não se preocupe, Sr. Proprietário — disse o gato, olhando para o menino. — Eu também não faço ideia de como sair daqui.

Como sempre, o gato não amenizou a verdade.

Por fim, chegaram ao término da longa jornada. Caminharam por um último corredor de carpete vermelho, ao final do qual havia uma porta *fusuma* xadrez. A mulher parou diante dela.

— Agradeço a paciência — disse ela, colocando a mão na porta com delicadeza. A porta se abriu. Ao ver o conteúdo do cômodo adiante, Rintaro arregalou os olhos.

Era um salão enorme, com paredes, piso e teto todos pintados de branco. A brancura tornava impossível avaliar o tamanho exato daquele espaço, mas, ao menos, Rintaro sabia que era diferente de tudo o que já tinha visto antes. O teto era tão alto quanto o de um ginásio escolar e as paredes pareciam se estender ao infinito.

O salão estava repleto de fileiras organizadas de caixas expositoras pintadas de branco. Cada uma das caixas de frente transparente era mais alta do que Rintaro, todas dispostas em cerca de vinte fileiras perfeitamente alinhadas. Embora o início de cada fileira fosse visível, elas se estendiam muito além do que era possível enxergar.

No entanto, o que mais surpreendeu Rintaro não foi o tamanho ou a quantidade de vitrines: foi o conteúdo delas. Todos os expositores estavam repletos de livros. Cada prateleira de cada expositor estava abarrotada. Ele não sabia dizer exatamente quantas dessas estantes gigantes havia, ou o número total de livros armazenados, mas uma coisa era certa: a quantidade devia ser atordoante.

— Caramba!

Ele começou a caminhar por um dos corredores. Era de tirar o fôlego. Havia uma enorme variedade de livros das mais diversas épocas. Literatura, filosofia, poesia, coletâneas de cartas, diários – todos os gêneros que você poderia imaginar. A variedade e a quantidade eram surpreendentes.

E, ainda assim, todos os livros pareciam novíssimos. Não havia uma marca sequer em nenhum deles. Eram lindos.

— Eu nunca vi uma coleção tão maravilhosa — disse Rintaro.

— Fico lisonjeado em ouvir isso.

A voz ressoou de algum lugar profundo entre os expositores.

Rintaro seguiu a origem da voz pelo cômodo de estante em estante e, enfim, deparou-se com um homem alto sentado em uma cadeira branca.

Ele usava um terno branco brilhante exatamente da mesma cor do chão polido. Estava sentado com as pernas cruzadas em uma pequena cadeira giratória; os olhos estavam fixos no livro grosso aberto sobre o colo. As caixas do outro lado de sua cadeira ainda não tinham livros. Em outras palavras, eles haviam chegado ao ponto mais distante da coleção, bem no fundo do depósito.

— Bem-vindos ao meu escritório.

O homem levantou os olhos em direção a Rintaro.

Tinha um sorriso gentil, mas um olhar penetrante, revelando um homem de grande sofisticação.

Rintaro lembrou que a mulher mencionara aparições na televisão e no rádio. Esse homem parecia alguém que você veria na TV.

— Ele parece inteligente — Rintaro murmurou para o gato.

— Você se intimida fácil assim? Seja forte!

O olhar do homem migrou de Rintaro para o gato.

— Foram vocês que vieram para "tratar de livros"?

— Bom, é...

Os olhos do homem piscaram com frieza diante da resposta frouxa de Rintaro.

— Vocês vão me desculpar, mas sou bastante ocupado. Realmente não tenho tempo para ficar aqui sentado à toa papeando com um garoto, especialmente um garoto que aparece sem aviso prévio e que nem se preocupa em se apresentar, ficando só aí parado com cara de paisagem.

— Ai, desculpa. Meu nome é Rintaro Natsuki! — Ajustando a postura às pressas, o garoto fez uma profunda reverência. — Desculpe-nos pela intromissão, por favor.

— Entendo — respondeu o homem com os olhos semicerrados. — Então o que é essa informação crucial que você tem para me dar? Se tem a ver com livros, presumo que eu gostaria de ouvir.

Rintaro estava sob os holofotes e não tinha nada a dizer. A informação crucial jamais existira. Ele olhou desesperado para o gato.

— Nós viemos libertar os seus livros. — Os bigodes brancos do gato tremiam enquanto ele falava.

Os olhos do homem ficaram ainda mais apertados enquanto ele encarava o gato. Havia algo ameaçador em seu olhar.

— Eu não posso mesmo perder nenhum minuto. Tenho que me preparar para as aparições na TV e no rádio e tantas palestras e artigos para escrever. Eu consigo, sim, arranjar algum tempo para passar os olhos nestes livros; há livros de todas as partes do mundo na minha coleção, mas não tenho tempo para lidar com lunáticos. — Ele bufou profundamente, encenando uma espiada no relógio de pulso. — Já perdi dois preciosos minutos ouvindo. Se já terminaram, gostaria que se retirassem.

Mas o gato não desistiria assim tão fácil.

— Não terminamos de falar.

— Eu já falei para vocês se retirarem. — O homem encarou o obstinado gato malhado. — Até agora, só li sessenta e cinco da minha meta de cem livros. Saiam.

— Cem livros? — Rintaro não conseguiu deixar de perguntar. — Você lê cem livros por ano?

— Não por ano — o homem respondeu, virando de forma dramática a página seguinte do livro. — Por mês — falou com grandiosa pompa. — E é por isso que sou tão ocupado. Recebi vocês achando que me trariam notícias das quais poderia me beneficiar, mas claramente estava enganado. Se continuarem desperdiçando meu tempo, terei que expulsá-los daqui. É claro, uma vez que saírem deste cômodo, não tenho ideia se conseguirão encontrar o caminho de volta, mas isso não é problema meu.

Seu tom era gélido. No abrupto silêncio que se seguiu, o único som vinha das páginas sendo viradas. O gato malhado o encarou ferozmente, mas o homem não se abalou. É como se tivesse se esquecido por completo da existência de seus visitantes.

Não havia mais nada a ser dito. Rintaro olhava em volta, desamparado, quando seu olhar pousou em um dos expositores. A coleção do homem era mesmo diversificada, ou talvez apenas aleatória; as estantes estavam ocupadas não apenas por livros comuns como também por revistas, mapas, dicionários. Nada fora organizado em alguma sequência ou levando em consideração algum campo específico.

A Livraria Natsuki também tinha uma coleção admirável, mas o avô de Rintaro sempre tivera algum tipo de sistema para a disposição das prateleiras. Em comparação, apesar da aparência impressionante, a coleção do homem era, na verdade, um completo caos.

Rintaro respirou fundo.

— Você já leu todos os de Nietzsche?

Ele olhava para a estante bem atrás do homem. Todas as obras de Nietzsche, incluindo a famosa *Assim falou Zaratustra*, junto com as coleções de cartas do autor, estavam alinhadas na caixa.

— Também gosto de Nietzsche — completou.

— Há pessoas no mundo todo que alegam gostar de Nietzsche — respondeu o homem, sem levantar a cabeça do livro. — Entretanto, pouquíssimas dizem isso depois de ter lido sua obra completa. Elas viram umas citações ocasionais ou alguma versão mais palatável, resumida. Experimentam Nietzsche como algum casaco da moda. Você é um desses também?

Rintaro foi rápido na resposta.

— *"O erudito que no fundo não faz senão 'revirar' livros acaba por perder totalmente a faculdade de pensar por si. Se não revira, não pensa."*[4]

Devagar, o homem levantou a cabeça do livro.

— Nietzsche falava na lata mesmo — Rintaro continuou, afoito. — É por isso que eu gosto dele.

Sem mover um músculo sequer, o homem ficou ali observando o tímido parceiro de conversa. Seus olhos estavam cheios de desprezo, mas em algum lugar lá no fundo havia um lampejo tênue de interesse. Finalmente, ele fechou o livro.

— Certo. Talvez eu consiga arrumar um pouco do meu tempo para vocês.

A atmosfera glacial derreteu-se um pouco. O gato olhou para Rintaro com razoável surpresa, mas agora o garoto não tinha tempo para o amigo felino.

---

4. Friedrich Nietzsche. *Ecce homo*: como alguém se torna o que é. Tradução de Paulo César Lima de Souza. São Paulo: Companhia das Letras, 1995.

Sob a pressão da fisionomia do homem, precisou lutar contra o instinto de fugir. Ele levantou a voz:

— Viemos aqui porque soubemos que você tem um monte de livros aprisionados.

— Você não deveria acreditar em tudo que ouve. Veja com seus próprios olhos. Eu só tenho um exemplar de cada livro que já li. Estou cuidando muito bem deles.

— Cada livro que você já leu? Todos esses livros aqui você já leu?

— Naturalmente. — Ele gesticulou para o salão cavernoso. — Desde a primeira estante perto da porta pela qual vocês entraram, passando por toda a extensão até aqui, onde estou agora: cinquenta e sete mil, seiscentos e vinte e dois livros. É o número de lidos até agora.

— Cinquenta e sete mil...

O homem deu um meio-sorriso.

— Não é tão chocante assim. Todos os líderes intelectuais de nossa época, como eu próprio, leem o tempo todo. É fundamental que estejamos constantemente atualizando nossas filosofias e expandindo conhecimentos. Os livros me fizeram o homem que sou hoje. São meus queridos companheiros. E, portanto, estou completamente perplexo com vocês dois chegando aqui com suas falsas acusações.

Sem cerimônias, ele descruzou as longas pernas e lançou um olhar ao garoto. Rintaro foi atingido por uma onda fervilhante de prepotência e orgulho tão fortes que pensou que perderia as estribeiras. Ainda assim, ele se manteve firme. Rintaro estava genuinamente perplexo.

— Então por que você mantém seus livros guardados assim?

Os expositores de vidro estavam todos bem fechados, com as alças travadas com cadeados. Rintaro ainda não entendia o significado exato das palavras do gato – "livros que foram aprisionados" –, mas ele sabia que não era assim que os livros deveriam ficar expostos. As caixas eram bonitas, mas sufocantes.

— Não é normal — disse Rintaro.

— Esses livros são importantes para mim. Eu amo livros. O que há de anormal em guardar seus bens?

— É que assim você tá tratando os livros como itens de museu. Com um cadeado enorme desse jeito. São seus livros, mas você não consegue nem chegar até eles.

— Chegar até eles? Por que eu faria isso? Eu já li todos eles.

Rintaro estava ainda mais confuso que o homem.

— Para você basta ler uma vez só? Você não quer reler...?

— Reler? Você é idiota?

As palavras ecoaram pelo grande salão. O homem de terno branco estendeu um longo e fino dedo e tocou com delicadeza o vidro da vitrine mais próxima.

— Você não ouviu nada do que eu disse? Estou ocupado demais lendo novos livros. Já é bastante difícil atingir minha meta mensal. Não tenho tempo sobrando para reler nada.

— Então você nunca releu seus livros? — disse Rintaro, espantado.

— É claro que não. — O homem parecia genuinamente chocado. Ele balançou a cabeça. — Vou ter que atribuir sua estupidez à sua idade. Caso contrário, a inutilidade dos últimos três minutos vai me deixar em pânico. O mundo está *repleto* de livros, concorda? É impossível contar a quantidade de livros que foram, e ainda estão sendo, escritos. Encontrar tempo para ler os mesmos livros mais uma vez... ora, é inconcebível.

As palavras ecoaram vazias no espaço cavernoso. Rintaro começou a se sentir meio tonto e enjoado.

— O mundo está cheio de "leitores" — continuou o homem —, mas uma pessoa na *minha* posição deve ler muito mais livros do que o leitor comum. Alguém que já leu vinte mil livros é muito mais valioso do que alguém que leu apenas dez mil. Portanto, por que eu releria o mesmo livro se ainda há pilhas dos que precisam ser lidos? Fora de cogitação! Uma perda de tempo ridícula!

Algo brilhou nos olhos estreitos do homem. Era um brilho que vinha de uma autoconfiança tão absoluta que esbarrava na insanidade.

Sem palavras, Rintaro fechou a boca e observou.

O que o homem estava dizendo não era de todo irracional. Os blocos que estruturavam seu argumento, por mais distorcidos ou deturpados que fossem, haviam sido organizados em um muro intacto. Ele construíra seu raciocínio e, porque era tão orgulhoso, tão seguro de si, era sólido e inabalável.

*Os livros têm um poder extraordinário.*

Esse era o mantra de seu avô. E agora o homem diante de Rintaro alegava que os livros haviam feito dele quem era – para Rintaro, parecia que os dois homens estavam dizendo a mesma coisa.

E ainda assim...

Rintaro estendeu a mão e começou a mexer na armação dos óculos. Havia algo muito diferente nesse homem; de alguma forma, suas palavras pareciam distorcidas. Se fosse o avô de Rintaro, ele teria arrumado tempo para responder às perguntas do menino com calma e gentileza.

— Sou extremamente ocupado — o homem repetiu.

Com isso, ele virou a cadeira para longe dos visitantes e em direção às estantes. Ele abriu o livro novamente e ergueu a mão para indicar a porta.

— Saiam, por favor.

Rintaro não se moveu. O gato também parecia perdido nos próprios pensamentos. O silêncio tornou-se opressor. O homem voltou a virar as páginas. O som seco e farfalhante encheu o salão cavernoso.

De repente, surgiu um som diferente, sibilante. A porta *fusuma* branca se abriu, mas não havia ninguém do outro lado; nenhum sinal da mulher que os trouxera. Só conseguiam enxergar uma profunda e sinistra escuridão. Rintaro estremeceu.

— Pense bem, Sr. Proprietário — sussurrou o gato. — Esse aqui só é um oponente difícil porque há verdade no que ele diz.

— Verdade?

— Exato. Este labirinto funciona com o poder da verdade. E não importa o quão distorcida essa verdade seja: contanto que haja convicção pessoal, ele não vai desmoronar facilmente. Mas nem *tudo* o que ele diz é verdade.

O gato deu um passo comedido para a frente.

— Ele tem um ponto fraco — sussurrou. — Ele é muito habilidoso em proferir enxurradas de palavras, mas é impossível que todas sejam verdadeiras. Tem que haver uma mentira em algum lugar ali.

— Uma mentira?

Algo mudou na atmosfera. Rintaro se virou para olhar a porta. Para além da escuridão, um vento começou a soprar. Ou melhor, um vento soprava pelo salão, em direção à escuridão, conduzindo Rintaro e o gato para a porta *fusuma*. O vento estava cada vez mais forte, e seu destino era o misterioso vórtice negro do vazio que havia lá fora. Um calafrio desceu pelas costas de Rintaro.

Ele se virou e viu que o homem ainda estava absorto no livro como se nada estivesse acontecendo. Parecia que havia quase chegado ao fim daquele grande volume... E, depois que virasse a última página, o livro lido não seria nada além de um objeto decorativo em algum lugar do caos deste cofre bibliotecário. Encaixado em uma dessas vitrines de vidro vistosas. Trancado para nunca mais ser manuseado novamente.

Todos esses livros tinham mesmo sido aprisionados.

O vento começou a uivar e Rintaro não conseguia ouvir o gato, que tentava dizer algo.

Mas a atenção de Rintaro ainda estava nos livros. Ele se virou para o homem.

— Tem algo errado — ele só murmurou, mas os ombros do homem se contraíram em resposta. — Tenho certeza de que você está mentindo.

Dessa vez, a voz de Rintaro saiu mais alta e o homem virou-se para ele, carrancudo. Mas Rintaro recusou-se a ceder sob a firmeza do olhar do homem.

— Você está mentindo para nós. Você diz que ama livros, mas não é verdade.

— Que coisa para se dizer. — A resposta do homem foi rápida demais. — Você é só um garoto. Antes de provocar a fúria de seu superior, é melhor pegar essa monstruosidade abusada que você chama de gato e dar o fora daqui.

— Você não ama livros coisa nenhuma — repetiu Rintaro, ajeitando a postura e olhando nos olhos do homem. O oponente visivelmente estremeceu.

— Com base em quais evidências...

— Basta olhar em volta. — A voz de Rintaro saiu mais poderosa do que ele esperava. Mas não foi só a força da sua voz; ele sabia exatamente o que dizer. — Reconheço que há um número impressionante de livros aqui. Tenho certeza de que é difícil encontrar tanta variedade em um só lugar. E você ainda tem livros antigos e raros, difíceis mesmo de encontrar hoje em dia. Mas é só isso.

— Só?

— Veja, por exemplo, essa coleção em dez volumes aqui: *Os romances de D'Artagnan*. — Rintaro apontou para uma fileira de dez belos livros encadernados em uma prateleira à sua esquerda. Os títulos em letras douradas destacavam-se na capa branca. As maiores obras de Alexandre Dumas, traduzidas para o japonês, guardadas como um tesouro em uma vitrine.

— Não é todo dia que a gente vê todas essas obras juntas assim. Todos os dez livros conservados como se nunca tivessem sido abertos, em perfeitas condições. Olha o tamanho desses volumes. Não importa o cuidado que você tenha para ler, eles com certeza deveriam ficar com uma ou duas marcas, talvez até uma lombada meio torta. Mas parece que eles acabaram de ficar prontos, novinhos em folha.

— Os livros são como tesouros para mim. Eu leio cada um com o máximo de cuidado e coloco na vitrine quando termino. É minha rotina e me proporciona grande prazer.

— E onde está o volume onze, então?

A sobrancelha do homem estremeceu.

— Na tradução japonesa, Os romances de D'Artagnan são um conjunto de onze volumes. Está faltando o volume final — disse Rintaro, fazendo o homem congelar.

Rintaro o ignorou e apontou para a prateleira à sua direita.

— Ali você tem *Jean-Christophe*, de Rolland. Vejo o primeiro e o último volume, mas deveria haver um no meio também. E *As crônicas de Nárnia*? Onde está *O cavalo e seu menino*? Você diz que os livros são seus tesouros, mas não é o que parece. Vendo assim por cima, tudo parece em perfeita ordem, mas, se a gente olhar de perto, essas prateleiras são uma bagunça.

Rintaro olhou para o teto do grande salão. Em algum momento do discurso, o vento forte se transformou em uma leve brisa.

— Isto aqui não é uma biblioteca para manter seus preciosos livros. É pra exibir todos os livros que você conseguiu ter. Este lugar todo não é nada além de um *showroom*.

O garoto parou por um instante, então se virou para olhar nos olhos do homem.

— Gente que ama os livros de verdade não os trata dessa maneira.

Em sua mente apareceu uma memória do avô, sorrindo satisfeito enquanto lia um de seus livros favoritos repetidas vezes até que desmontasse. Esteve completamente absorto em todas as histórias.

O avô de Rintaro sempre tratou os livros da loja com o maior cuidado, o que não significa que os considerava objetos de decoração. Ele não era obcecado por ter uma exposição deslumbrante; ele se preocupou em criar um espaço bem conservado, ocupado por livros que as pessoas quisessem entrar e pegar, não importava quão velhos ou gastos estivessem. E foi isso que fez de Rintaro um leitor.

Rintaro repetiu o que seu avô lhe dissera, algo que sempre ficou em sua memória.

— É bom ler muitos livros, porém não se engane...

O homem de terno branco estremeceu de novo, mas não falou. No silêncio, Rintaro notou as memórias se transformando em palavras, cada vez mais fluidas.

— Os livros têm um poder extraordinário. Mas tenha cuidado. É o livro que detém o poder, não você.

Foi o que o avô dissera quando Rintaro estava matando aula para passar os dias invadindo as prateleiras da Livraria Natsuki. Rintaro se trancava entre as paredes de livros, submerso no mundo das letras, perdendo aos poucos qualquer interesse no mundo exterior. O velho, em geral taciturno, alertou o neto:

— Não é verdade que, quanto mais você lê, mais você vê o mundo. Não importa quanto conhecimento consiga empilhar na própria cabeça, a menos que pense com sua própria mente, ande com suas próprias pernas, o conhecimento que adquirir não será nada além de vazio e efêmero.

Rintaro respondeu encolhendo os ombros, mas o avô continuou, calmo:

— Os livros não podem viver a vida por você. O leitor que se esquece de andar com as próprias pernas é como uma velha enciclopédia, com a cabeça cheia de informações obsoletas. A menos que alguém abra, não passa de uma antiguidade inútil.

O velho sacudiu com carinho o cabelo do menino.

— Você quer virar uma enciclopédia ambulante? — provocou.

Rintaro não conseguia se recordar de sua resposta. Mas conseguia lembrar que não demorou muito para voltar a frequentar a escola novamente.

Mesmo assim, ainda tinha a tendência de se afundar por completo no mundo dos livros. O avô ficava sentado, tomando sua xícara de chá, dando eventuais lembretes:

— Ler é muito bom, mas, quando terminar, é hora de colocar os pés no mundo.

Finalmente ocorreu a Rintaro que essa era a estranha maneira do avô de encorajá-lo, de guiá-lo – ele tinha feito o melhor que podia.

O homem de branco interrompeu os pensamentos de Rintaro.

— Mas foi assim que elevei meu status, colecionando todos esses livros. Quanto mais livros você tiver, mais poderoso é. Foi assim que cheguei aonde estou.

— E foi por isso que você os prendeu? Para exibi-los como se o poder deles pertencesse só a você? — Rintaro disse.

— Do que você está falando?

— Você se acha tão impressionante... construiu este *showroom* ridículo e pretensioso só para as pessoas verem quantos livros você leu.

— Cale a boca!

O homem não conseguia mais ficar ali parado. Abandonando os planos de ler seu livro, olhou com raiva para Rintaro.

— O que um pirralho como você sabe? — Gotas de suor apareceram em sua testa. — Quem a sociedade valoriza mais: o homem que lê o mesmo livro dez vezes ou o que lê dez livros diferentes? — continuou. — É óbvio que, quanto mais você lê, mais respeito ganha. Quanto mais informado for, pessoas mais interessantes e atraentes te encontram. Estou errado?

— Não sei se você está certo ou errado. Mas não é disso que estou falando.

— O quê? — O homem estava completamente confuso.

— O que a sociedade exige, que tipo de pessoa é respeitada... Não estou falando de nada disso.

— Então o que você...

— Só estou dizendo que você não ama livros. A única coisa que ama é você mesmo. Como acho que já falei, as pessoas que amam livros de verdade não os tratam dessa maneira.

Mais uma vez, um profundo silêncio se instalou. O homem parecia ter congelado. Ele não se moveu de onde estava e suas mãos ainda seguravam o livro aberto. Antes tão presunçoso e arrogante, parecia que ele tinha encolhido de tamanho.

A leve brisa remanescente desapareceu e o cômodo ficou estático. Rintaro se virou e viu que a porta *fusuma* fechara novamente.

— Você...

O homem abriu a boca para falar, mas parou no mesmo instante. A sala ficou em silêncio mais uma vez enquanto ele procurava as palavras a serem ditas. Finalmente, pareceu se decidir por uma frase:

— Você ama livros?

Não foi a pergunta abrupta que surpreendeu Rintaro, mas o lampejo de sinceridade que irradiava dos olhos do homem. Era tão diferente da frieza, da atitude autoritária que vinha demonstrando até então. Era uma luz que mostrava um tipo diferente de interesse, combinado com um profundo sentimento de solidão.

— Apesar de tudo, você ainda ama livros?

A frase "apesar de tudo" continha muitos significados. Rintaro levou um instante para analisar todas as implicações.

— Sim — disse com firmeza.

— Eu também.

A voz do homem estava mais suave; a frieza afiada havia sumido. Ele parecia quase espiritual.

De repente, Rintaro ouviu um som peculiar que o lembrou do leve sussurro de uma brisa. Olhou em volta e viu que todo o cômodo tinha começado a se transformar. Todas as vitrines gigantes – antes objetos de orgulho e alegria do homem de branco – começavam a desmoronar como castelos de areia. Um por um, os livros se abriram no ar, como pássaros alçando voo.

— Sabe, eu realmente amo livros.

Com isso, o homem fechou com cuidado o livro que estava lendo, enfiou-o debaixo do braço e levantou-se. Ao fazer isso, a vitrine mais próxima se desfez em pó; os livros transformando-se em um bando de pássaros migratórios. Rintaro, admirado, observou a sala se encher de livros voadores. O homem de branco olhou para ele.

— Você é um jovem admirável.

— Na verdade, não...

O homem ergueu a mão para interrompê-lo e olhou para o lado.

— Acontece que você trouxe convidados problemáticos — disse, sorrindo.

Rintaro percebeu que ele se dirigia à mulher de quimono, que se materializara do nada. Ela parecia diferente. Quando se encontraram no portão, ela não tinha nenhuma expressão, era quase como se estivesse usando uma máscara. Agora, havia um sorriso em seu rosto.

— Você não precisa de ajuda para voltar para casa. Você vai achar o caminho — disse o homem.

A voz dele ecoou sobre o bater das asas dos livros.

Quando a última das estantes se reduziu a pó, uma luz pálida e azulada começou a preencher o salão, refletindo nas páginas dos livros migrantes e transformando o ar em um redemoinho de brancura.

O homem olhou para o relógio no pulso.

— Bem, você claramente tomou muito do meu tempo. Mas devo confessar que foi o tempo mais agradável que já passei. Fico muito grato. — A mulher entregou-lhe um chapéu branco, que ele colocou sobre a cabeça, virando-se, depois, para sair. — Au *revoir* — disse.

Ao lado dele, a mulher começava a inclinar-se em uma reverência, quando um lampejo repentino transformou tudo em um branco ofuscante.

Às sete horas da manhã seguinte, Rintaro estava na cozinha. Terminou o café da manhã e foi abrir a porta da livraria. Ele entrou, acendeu as luzes, ergueu as persianas e deixou entrar ar no ambiente. A brisa fresca que entrava soprou para longe o ar velho e parado. Rintaro varreu os degraus de pedra que levavam à porta; em seguida, trocou a vassoura por um espanador e começou a tirar o pó das estantes.

Essa era a rotina do avô toda manhã. Era a mesma cena que Rintaro observava toda manhã antes de ir para a escola, mas essa foi a primeira vez que ele próprio a executava. Ele pegara e lera tantos dos livros dali, mas nunca ajudara na limpeza.

— O que raios você tá fazendo? — disse uma voz em sua cabeça.

Mas então outra voz riu.

— Tá tudo bem — a voz respondeu.

Ambas as vozes eram de Rintaro, e era verdade que ele não tinha ideia do que estava fazendo. Suspirou, e sua respiração era branca na manhã clara e fria.

Melancólico, olhou para as estantes, perguntando-se por que tinha começado a espaná-las. Em sua mente, mais distante, persistia a memória da estranha aventura do dia anterior.

— Excelente trabalho, Sr. Proprietário.

A voz pujante veio de um gato malhado com um fino casaco de pelos.

Rintaro fez uma careta ao observar o gato que caminhava em sua direção pelo estreito espaço da livraria, com um sorriso que enrugava seus olhos verde-jade.

— E aí? — o gato perguntou.

— Não estou acostumado a receber elogios — Rintaro respondeu.

— Humildade é uma coisa boa. Mas tem limite. — O gato continuou em direção a ele. — Suas palavras comoveram alguém. Isso é fato. E você libertou uma quantidade enorme de livros aprisionados, além de voltar para casa por conta própria. Sem as suas palavras, nunca teríamos conseguido voltar e acabaríamos vagando por aquela casa maluca por toda a eternidade.

A ideia era assustadora, mas o gato falou em seu costumeiro tom despreocupado. Rintaro percebeu algo como um sorriso vindo dele.

— Excelente trabalho. Conseguimos passar pelo primeiro labirinto.

— De nada... o quê? — Rintaro parou e encarou o gato. — Como assim, *"primeiro* labirinto"?

— Ah, não é nada. Não se preocupe.

Rintaro estava no meio da Livraria Natsuki. O gato malhado passou por suas pernas e dirigiu-se à parede dos fundos mais uma vez.

— Espera aí! Você diz para eu não me preocupar, mas... ei, gato!

— Eu disse que meu nome é Tigre, o gato malhado. Tente se lembrar disso. — O gato sorriu por cima do ombro. — Foi mesmo um excelente trabalho.

— Não mude de assunto.

Rintaro mal havia terminado de falar quando uma nova passagem nos fundos da livraria se dissolveu em uma luz branca, e ele se viu sozinho diante da parede de madeira. Já havia passado um dia inteiro desde aquela aventura, mas, de alguma forma, ele se sentia como se ainda estivesse sonhando.

*Excelente trabalho, é?*

Ele ainda conseguia ouvir a voz do gato malhado em seus ouvidos.

Ninguém nunca o elogiara tão diretamente antes. As pessoas sempre riam dele, chamavam-no de covarde ou fraco. Estava acostumado a ser evitado, porque sempre fora taciturno, mas ficou perturbado com essas novas descrições de si. Estava tão inquieto que se viu incapaz de se sentar com um livro na loja mal iluminada, como de costume. Pegou o espanador novamente e concentrou toda a sua energia na limpeza das prateleiras.

Ele estava quase terminando quando ouviu a campainha da porta da frente. Levantou os olhos e viu Sayo Yuzuki, sua vizinha e representante de classe, envolta em um aconchegante cachecol vermelho. Ela espiou a livraria e levantou uma sobrancelha perfeitamente desenhada quando viu Rintaro parado ali.

— O que você está fazendo?

— O que você...?

Por um instante, ele ficou confuso, mas, quando pensou melhor, percebeu que era ele quem deveria fazer aquela pergunta.

— São sete da manhã. O que você tá fazendo aqui, Sayo?

— Estou indo para o ensaio da banda. Sempre saio nesse horário. — Ela levantou a mão esquerda para mostrar a ele o estojo preto de um instrumento. — E, quando estava passando por aqui, percebi que a Livraria Natsuki, que deveria estar fechada, estava aberta. Entrei para ver o que estava acontecendo. — Ela cruzou a soleira, soltando a respiração branca no ar frio. — Se você tem tempo para limpar a loja de manhã, quer dizer que está planejando ir à escola depois? — disse, com as mãos na cintura.

— Bom... é que eu...

— É que nada! Se não tem nada melhor para fazer, então venha para a escola. Você quer mesmo perder o resto das aulas antes de se mudar?

— É, acho que sim.

Sayo lançou um olhar perigoso ao garoto hesitante.

— Olha, pensa em como eu me sinto. Sou eu quem está vindo até a casa do colega deprimido para deixar o dever de casa. Estou tentando ser legal.

Rintaro percebeu que não lhe agradecera por trazer o dever de casa no dia anterior. Mas, assim que ele murmurou "obrigado por ontem", Sayo fez uma cara de confusa.

— Eu falei alguma coisa errada? — perguntou Rintaro.

— Não, só fiquei surpresa. Você não parecia nem um pouco feliz com isso ontem, e agora está aí me agradecendo.

— Não fiquei infeliz. Você que parecia irritada...

— Irritada? — Sayo ficou surpresa por um instante, mas acrescentou: — Não exatamente. — Agora, porém, parecia um pouco zangada. — Eu só estava preocupada com você, Natsuki.

— Preocupada? Comigo? — Rintaro parecia surpreso.

— Claro.

Sayo olhou atenta para ele.

— Seu avô morreu, aí você vai ter que se mudar. Fiquei muito preocupada com você. Mas *daí* eu te vejo conversando com o Akiba como se estivesse tudo bem. Isso me irritou mesmo.

*Eu não tinha percebido*, pensou Rintaro. Egoísta, ele tinha pensado que Sayo estava passando ali por pura obrigação. Mesmo que ela tivesse dito com todas as letras que estava preocupada, ele presumira que a garota dissera aquilo por educação. Mas parecia que não era o caso.

Em dado momento, Sayo o encarou com espanto e, de repente, desviou o olhar.

— Eu parecia mesmo irritada?

Rintaro estava sem palavras. Não por causa da pergunta que ela havia feito, mas porque, apesar de já ter visto Sayo centenas de vezes, nunca tinha notado que seus olhos eram brilhantes e bonitos.

Quando pensou nisso, deu-se conta de que ela morava ali na esquina, mas ele nunca conversara cara a cara com ela antes.

— O que foi? Eu fui tão estúpida assim?

— ... eu não pensei nisso em momento algum.

— Você é um péssimo mentiroso, Natsuki.

Rintaro não tinha resposta. Levantou a mão direita e mexeu nos óculos.

— Estou com o velho jogo de chá do vovô — ele disse, finalmente, apontando desajeitado para os fundos da loja. — Se você tiver tempo, posso preparar uma xícara de chá.

*Ugh*, pensou Rintaro. Que frase ridícula. O convite desajeitado foi recebido com uma careta divertida da colega de classe.

— O que é isso? Uma cantada?

— Claro que não!

— Mas, como um convite para alguém que veio até aqui para trazer sua lição de casa, não é de todo ruim.

Foi uma resposta esperta. Ela se aproximou e se jogou no banquinho ao lado de Rintaro.

— Vou te dar pontos pelo esforço.

— Agradeço.

Rintaro mal teve tempo de suspirar de alívio antes de Sayo continuar:

— Quero uma xícara de Darjeeling com bastante açúcar.

Sua voz animada soava como se a primavera tivesse chegado inesperada, no meio do inverno.

capítulo 2

O SEGUNDO

LABIRINTO

# O MUTILADOR DE LIVROS

O avô de Rintaro sempre foi uma criatura misteriosa.

Ele parecia habitar uma realidade um tanto diferente daquela que Rintaro conhecia. Um homem de poucas palavras, evasivo, mas nem distante nem frio. Passava a impressão de ser um homem idoso quieto e sábio.

Ele se levantava às seis e terminava o café da manhã às seis e meia. Às sete, deixava *bentō* prontas para o almoço dele e de Rintaro. Depois, abria portas e janelas para arejar a loja e regava as plantas que ficavam do lado de fora. Desde cedo, quando via o neto indo para a escola, até o início da noite, quando Rintaro voltava, ele nunca emergia do oceano de livros usados. Sua rotina era regulada, imutável, como um rio fluindo em direção ao mar.

Seria possível presumir que esse singelo homem tivesse vivido toda a sua vida naquela livraria, o que não chegava nem perto da realidade.

O avô de Rintaro não falava muito sobre isso, mas chegara a ocupar um cargo bastante importante em uma universidade de algum lugar. Rintaro ouviu de um dos clientes mais velhos que ele tivera um colapso ou algo do tipo. Quem lhe confidenciou isso foi um homem educado, de barba prateada, que sempre visitava a loja vestindo um terno com uma gravata cowboy. Ele aparecia de vez em quando para comprar grandes obras literárias ou, eventualmente, livros em outros idiomas. E disse a Rintaro que ele e seu avô costumavam ser colegas.

— Seu avô é um ser humano maravilhoso — falou uma vez a Rintaro, abaixando-se e bagunçando o cabelo do garoto.

Isso deve ter sido quando Rintaro estava terminando o ensino fundamental. Vovô saíra para fazer algo e deixara o neto para tomar conta da loja.

— Ele pegou alguns dos problemas mais difíceis do mundo e fez tudo o que pôde para tentar encontrar uma solução. Aplicou esforços enormes, dedicou toda a sua mente a eles. Realizou um trabalho realmente brilhante.

O homem de cabelo grisalho passava os dedos distraído pela cruz na capa do livro, como se estivesse se recordando de algo.

— Mas...

O homem parou. Suspirou enquanto examinava os livros nas prateleiras diante de si.

— Não foi o suficiente. Ele se aposentou do palco antes de cumprir seu objetivo.

*Palco?* Rintaro não associava essa ideia com seu avô de maneira nenhuma.

— O que meu avô estava tentando fazer? — Rintaro perguntou.

O velho sorriu.

— Nada de excepcional. Ele só tentava lembrar às pessoas do óbvio. Não mentir. Nunca intimidar alguém mais fraco. Ajudar os necessitados...

Rintaro parecia confuso. O velho deu um sorriso meio torto.

— Porque o óbvio não é mais óbvio no mundo atual.

Ele deu um suspiro mais profundo.

— No mundo de hoje, muito do que deveria ser óbvio foi virado de cabeça para baixo. Os fracos são usados como degraus e as pessoas tiram proveito dos necessitados. Ficam presas nesses padrões. Ninguém enfrenta ou exige que parem.

— Mas meu avô fez isso?

— Sim. Ele disse "basta". Que era errado. Ele tentava pacientemente persuadir as pessoas.

O velho continuou a contar ao menino como, apesar dos esforços do avô, nada mudou.

Como se estivesse manuseando uma elegante escultura de vidro, colocou, com cuidado, dois volumes pesados sobre o caixa. Eram *A vida de Samuel Johnson*, de James Boswell.

— Vocês também têm o terceiro volume?

— Temos. Lá em cima, à esquerda. Segunda prateleira contando do alto. Provavelmente próximo ao Voltaire.

O velho assentiu com a cabeça e sorriu. Foi até a prateleira e trouxe consigo o volume que estava procurando.

— Você está dizendo que algo aconteceu com o trabalho do vovô na universidade e por isso ele acabou abrindo esta livraria?

— Sim, acho que essa é a ideia. Mas não foi bem assim.

Rintaro olhou fixamente para o homem.

— Seu avô não desistiu simplesmente ou fugiu sem tentar. — O velho riu. — Ele apenas mudou de abordagem.

— Abordagem?

— Seu avô abriu uma livraria maravilhosa. E, ao fazer isso, conseguiu colocar os mais variados e incríveis livros nas mãos de muitas pessoas. Ele acreditava que, dessa forma, poderia começar a corrigir umas coisas erradas, endireitar outras que estivessem tortas. Esse foi o caminho que ele escolheu. Não exatamente o mais glorioso, mas corajoso; típico do seu avô.

O velho fez uma pausa no relato sério e sorriu para o garoto.

— Um pouco difícil de absorver?

É, pensou Rintaro.

Naquele momento, não conseguia compreender todos os detalhes, mas era como se passasse a ver as coisas de um jeito um pouco diferente. Se perguntassem a ele o que havia mudado, não saberia explicar. Mas, de alguma forma, conforme entrava na rotina de limpeza e manutenção dos últimos dias, aos poucos começava a entender a relação entre o avô taciturno e a Livraria Natsuki.

Tirar o pó das estantes e varrer a frente da loja era um trabalho monótono e repetitivo e, surpreendentemente, tomava um tempo e um esforço enormes. Mas isso ajudou Rintaro a entender quão paciente o avô sempre fora e quanto cuidado sempre tivera.

Ele percorreu os olhos pela loja com carinho. Estava um pouco sensível.

De manhã, passou uma hora limpando e organizando a loja. Agora, feixes de luz do sol de inverno passavam pelas ripas da porta de treliça e refletiam-se nas tábuas de madeira do chão. A conversa alegre que ele ouvia do lado de fora era, sem dúvida, de grupos de estudantes do ensino médio a caminho das atividades matinais. As risadas eram carregadas pelo ar frio do inverno. Essa era, afinal, a brisa mais agradável que existia.

— Relaxando de novo, Sr. Proprietário? O que aconteceu com a escola?

A voz veio do nada, mas, dessa vez, Rintaro não se surpreendeu, pois era familiar. Descansou o cabo do espanador sobre o ombro e virou-se para olhar.

O gato malhado e peludo estava no final do corredor estreito. A parede dos fundos havia desaparecido mais uma vez e sido substituída por fileiras de estantes de livros que se estendiam a perder de vista sob a luz azulada.

Rintaro fez uma careta.

— Eu gostaria de recebê-lo dizendo *"irashaimase"*, como faço com os outros clientes, então será que poderia entrar pela porta da frente pra variar? Em teoria, essa aí é a parede dos fundos.

— Você parece estranhamente tranquilo em me ver, Sr. Proprietário — disse o gato, em sua voz profunda e característica. Os olhos de jade tinham aquele brilho sábio. — Seria bacana se reagisse com um pouco mais de espanto. Eu me divertiria muito mais.

— Andei pensando em como você chamou o lugar aonde fomos de "o primeiro labirinto". Isso significa que vai ter um segundo, certo?

— Que impressionante e poderosa sabedoria. Tão afiada astúcia! Acho que isso me poupa o trabalho de explicar.

— Explicar o quê?

— O segundo labirinto. Preciso da sua ajuda novamente.

— Você não...?

Rintaro olhou para o infinito corredor de livros.

— Você vai me fazer te ajudar a resgatar livros de novo, né? — arriscou.

A reação do gato foi grandiosa e nada humilde.

— Correto!

— Em algum lugar, há um homem que compra livros do mundo todo e, em seguida, rasga-os em pedaços minúsculos — disse o gato, solene. — Ele pega os livros e depois os trata de uma maneira horrível. Não podemos deixar que ele continue se safando disso.

Rintaro sentou-se no banquinho ao lado do caixa e começou a mexer nos óculos. Ficou em silêncio por um tempo, observando o gato malhado a seus pés.

— O quê? — o gato protestou. — Você acha que olhar para a minha cara vai resolver alguma coisa? Você vem comigo ou não?

— Você está mais insistente do que nunca.

— Você nunca faria nada se eu não insistisse. E garanto que a minha vida ficaria muito mais fácil se eu não tivesse que ser insistente.

A luz nos olhos verdes pareceu ficar mais intensa. Rintaro pensou um pouco mais.

— Tá bom, então. — Ele suspirou profundamente. — É pra eu te seguir de novo?

O gato pareceu surpreso com a resposta direta. Estreitou os olhos.

— Que atitude revigorante. Achei que você ia começar a se contorcer como um vermezinho de novo.

— Olha, eu posso não entender corretamente os conceitos difíceis, mas uma coisa que aprendi com meu avô é que os livros devem ser tratados com cuidado. Ajudar pessoas pode não ser meu ponto forte, mas, quando se trata de livros em apuros, estou sempre pronto.

Os olhos do gato se arregalaram por um instante, depois se estreitaram de novo.

— Muito bem, então.

É possível que tenha aparecido algo como um sorriso no rosto do gato, porém, antes que Rintaro pudesse absorver, eles foram interrompidos pelo tilintar da campainha da entrada. Ele se virou e viu um rosto espiando pela porta.

— Tá vivo, Natsuki?

Era a voz animada da representante de classe, Sayo Yuzuki. Rintaro olhou para o relógio e viu que eram sete e meia da manhã. Ela deveria estar a caminho do ensaio da banda de novo. Rintaro entrou em pânico.

— Quem é? Sua namorada? — disse o gato.

— Fica quieto! — Rintaro sussurrou.

Passaram-se apenas dois dias desde que Sayo e Rintaro tinham tomado chá juntos. Rintaro só respondera vagamente aos apelos dela para que ele voltasse à escola e, desde então, ficara escondido dentro da Livraria Natsuki. Não parecia haver mesmo nenhuma razão para ir à escola a essa altura. Mas ele sempre vacilava quando Sayo estava diante dele.

E a situação, que já era bem delicada – com ela aparecendo ali para tentar persuadi-lo a ir à escola logo cedo –, agora piorava com ele falando com um gato... Bem, era estranho, para dizer o mínimo.

— E... e aí?

— Nada, não está acontecendo nada.

Franzindo ligeiramente a testa, Sayo entrou na loja sem que fosse convidada. Rintaro ouviu a voz do gato sussurrando em seu ouvido:

— Não se preocupe, Sr. Proprietário. Só algumas pessoas conseguem me ver e somente em condições especiais. Aja como se eu não estivesse aqui.

Rintaro estava cético, mas não havia nada a ser feito.

— Você não apareceu outro dia e, pelo jeito, não vai hoje também.

— Não. Não é...

— Então você vai pra escola?

— Hoje? É, eu não...

Vendo que Rintaro estava no auge do modo enrolação, Sayo olhou feio para ele.

— Se você perder mais um dia, eu terei que trazer o seu dever de casa aqui *de novo*. Os professores estão muito preocupados também. Percebe o estresse que você tá causando para todo mundo?

Como sempre, ela não estava se contendo. Tinha muito mais dignidade do que Rintaro jamais teria.

— Desculpa.

— Não é pra você pedir desculpas. Se você pretende vir, então venha. Se quiser faltar, basta faltar. Eu sei que a sua situação é bastante complicada agora. Mas, se continuar evitando qualquer tipo de decisão, ninguém mais será capaz de te ajudar.

A objetividade de Sayo só fez Rintaro se sentir pior. Ele acreditava que era tão irrelevante, um grande ninguém, que sua ausência da escola passaria despercebida, mas o olhar da representante de classe contava uma história diferente.

Uma risada veio detrás dele.

— Ela está certa. As pessoas estão mesmo preocupadas. Claramente você tem mais amigos do que gostaria de admitir.

O gato malhado parecia estar se divertindo um pouco demais, então Rintaro se virou e deu uma olhada na direção dele. O gato peludo não deu atenção e começou a tremer de tanto rir.

Para surpresa de Rintaro, contudo, Sayo fez um rápido som de surpresa e olhou para baixo, na direção dos pés dele. Claro, era onde estava o gato linguarudo.

O gato congelou, e um silêncio extremamente confortável se seguiu.

— Você consegue mesmo me ver? — ele perguntou a Sayo, com uma voz tomada por admiração. — E ouvir minha voz também?

— Um gato falante?

O gato malhado ficou em estado de choque. Sayo estava olhando direto para ele. Então desviou o olhar para a fraca luz azul na outra extremidade da livraria.

— O... o que é isso?

Rintaro seguiu o olhar dela. Moveu a mão para os óculos devagar.

— Você não mencionou algo sobre só algumas pessoas e te verem em condições especiais?

— Sim, pelo menos era isso que devia acontecer.

O gato estava incomumente agitado.

— Bom, agora já foi.

— Natsuki? — disse Sayo. — Tô vendo uma coisa muito estranha.

— Olha, fico aliviado. Achei que fosse só eu.

A resposta casual de Rintaro deixou Sayo sem palavras.

O gato, no entanto, já havia recuperado sua compostura. Caminhou até Sayo e fez uma profunda reverência.

— Eu sou Tigre, o gato malhado. Bem-vinda ao Labirinto de Livros.

Havia uma graça surpreendente em seus movimentos.

— Eu sou Sayo Yuzuki.

A menina ainda parecia confusa, mas, no instante seguinte, estendeu as mãos e pegou o gato no colo.

— Tão fofo!

Tanto Rintaro quanto o gato congelaram.

— Que gatinho malhado adorável! E que legal que ele fala!

— Você tá tranquilo com isso? — sussurrou Rintaro para o amigo felino.

Sayo ficou encantada com o gato e sua voz encheu a loja. O gato, com a bochecha colada na da garota, começou a miar, entregue.

— Então agora você faz miau? — disse Rintaro, com um suspiro derrotado.

A garota, o garoto e o gato caminharam pelo corredor central com as gigantescas estantes de livros em ambos os lados. O malhado assumiu a liderança, seguido por Sayo, e Rintaro foi no final. O gato caminhou em silêncio, Sayo andava com cautela, mas Rintaro praticamente marchava.

— Sayo, você deveria voltar.

Sayo se virou e olhou carrancuda para Rintaro.

— O quê? Só você pode partir em aventuras fantásticas com um gato falante?

— Aventuras fantásticas...?

Rintaro tentou novamente, dessa vez, tremendo um pouco mais:

— Não há necessidade de você se envolver nessas coisas. É perigoso.

— "Perigoso"?

Sayo lançou um olhar severo para Rintaro.

— Então, Natsuki, você está me dizendo para ficar quieta e deixar um colega de classe continuar se colocando em situações perigosas?

— Bom, não. Não foi isso que eu quis dizer...

— Então qual dos dois? Se não é perigoso, não deve ser um problema que eu vá. Se é perigoso, não seria uma boa ideia deixar você entrar nessa sozinho. Tô certa?

*A frase "direta como uma flecha" foi pensada para descrever Sayo Yuzuki,* Rintaro refletiu. Ele a admirava. Diferentemente da preocupação paralisante e insípida de Rintaro, o argumento de Sayo foi claro e persuasivo. Um fracote recluso como ele não poderia nem tentar se opor a ela.

— Desista, Sr. Proprietário — intercedeu o gato. — De qualquer maneira, você vai perder essa briga.

— Admito que estou do lado mais fraco, mas não preciso ouvir isso de você, que é a causa do problema todo.

— Bom, acho que você tem razão. Mas ela me viu. Fazer o quê?

O gato dava respostas rápidas como de costume, mas não tinha na voz a mesma energia de antes. Ainda estava bastante abalado com o que havia acontecido.

— Não consigo prever o futuro — disse. — Nunca imaginei que isso pudesse acontecer

— Você sempre age como se soubesse o que está fazendo, mas, na verdade, só tá improvisando, né?

— Eu fui mais esperta que você, Natsuki — Sayo se intrometeu —, não desconte no pobre gatinho.

— Descontar? Do que você tá falando?

— Ué, não é o que você tá fazendo?

— Estou preocupado em acabar envolvendo minha representante de classe nessa coisa bizarra. Me sinto responsável, é só isso.

— Claro que seria um problema enorme se algo acontecesse comigo. Mas daria na mesma se acontecesse com você também, certo, Natsuki?

O tom aparentemente casual dela escondia certa perspicácia. Ao ver Rintaro sem palavras, Sayo continuou com as falas afiadas.

— Sabe, você não é uma pessoa de todo ruim, Natsuki, mas eu realmente não suporto esse seu lado.

Dito isso, ela acelerou corajosa para seguir o gato pelo longo caminho – o oposto de Rintaro, para quem cada atitude era tomada por medo.

O gato se aproximou dele e inclinou a cabeça para olhar seu rosto.

— O amor dos jovens!

— Do que você tá falando?

Assim que Rintaro murmurou a pergunta, o grupo enfim adentrou o perímetro iluminado por uma forte luz branca.

*Um hospital?*

Esse foi o primeiro pensamento de Rintaro.

Eles emergiram da luz ofuscante em um enorme espaço aberto repleto de homens e mulheres em jalecos brancos, apressados, andando de um lado para o outro. Mas, conforme o brilho da luz evanescia e o espaço se tornava visível, a estranheza ficava mais clara.

À frente deles, havia uma enorme passarela feita de pedras. Tinha a largura de aproximadamente duas salas de aula, e a extensão parecia não ter fim. Para ambos os lados, uma fila de pilares imponentes e elegantes, espaçados de maneira uniforme, sustentava uma grande cobertura em forma de arco. Observando-se somente os pilares, a imagem remeteria a um antigo templo grego, mas existia algo muito estranho nas pessoas que passavam por ali. Elas apareciam entre os pilares de um lado e, depois, desapareciam entre os pilares do lado oposto. Havia tanto homens quanto mulheres de várias idades, mas todos eles vestiam branco e carregavam uma pilha de livros nas mãos. Os movimentos eram idênticos.

Na parede entre cada pilar, prateleiras de livros se estendiam até o alto teto abobadado. Nos intervalos regulares ao pé das paredes que compunham a biblioteca gigante, havia uma grande mesa. Equipes de trabalhadores estavam ocupadas procurando livros nas prateleiras e empilhando-os sobre as mesas. Em seguida, pegavam diferentes livros das mesas e devolviam-nos às estantes. Olhando atentamente, era possível ver uma série de caminhos estreitos cortados na parede e escadas que conduziam para cima e para baixo. As pessoas costumavam sair desses caminhos, parar em frente a uma das mesas, onde deixavam ou pegavam algum livro, para então atravessar o enorme corredor e desaparecer mais uma vez em meio aos caminhos do outro lado da sala.

Era uma cena frenética e estonteante – pessoas correndo de um lado para o outro carregando pilhas de livros, outras empilhando-os com cuidado sobre as mesas, e outras ainda trabalhando no topo de escadas altas.

— Olha isso... Que lugar incrível!

Sayo era sempre sincera em relação aos seus sentimentos. Enquanto observava o espaço com os olhos arregalados, uma mulher passou apressada por ela. Ninguém prestou a menor atenção nos dois adolescentes e no gato. Era como se nem os tivessem notado, mas, se uma colisão fosse iminente, desviariam e passariam pelos três intrusos. Então não era porque não podiam vê-los... O mais curioso de tudo, porém, era que havia tantas dessas pessoas e, no entanto, não se ouvia nem uma única palavra. Era como assistir a um filme mudo ruim.

— Então quer dizer que em algum lugar aqui tem uma pessoa rasgando livros? — perguntou Rintaro.

— Foi o que eu ouvi dizer.

— O que nós vamos fazer?

O gato encolheu os ombros.

— Procurar?

O gato rapidamente abordou o homem que estava mais próximo e gritou para ele.

— Com licença. Gostaria de fazer uma pergunta.

O homem parou, segurando uma comprida pilha de livros nos braços. Ele olhou para o gato malhado com evidente impaciência. Era um homem de meia-idade, bem constituído, mas sua pele estava estranhamente pálida.

— O que é? Estou ocupado!

— Que diabos é este lugar? — perguntou o gato.

O tom do gato foi zombeteiro, mas a resposta do homem foi factual:

— Este é o Instituto de Pesquisa de Leitura. Nós somos a maior organização de pesquisa do mundo dedicada a todos os aspectos da leitura.

— Pesquisa de leitura?

O homem ignorou Sayo e sua testa franzida.

— Então eu gostaria de conhecer o responsável — disse o gato.

— Responsável?

— Isso. O chefe da organização. O diretor. Ou, se você chama de "instituto de pesquisa", talvez eu deva chamar de médico ou professor?

— Você está procurando um professor?

— Uhum.

— Desista — disse o homem sem nem piscar. — Tem tanta gente no mundo com o título de professor quanto existem estrelas no céu. O Japão está repleto deles. Experimenta gritar "professor!" agora mesmo. Quatro de cada cinco dos estudiosos desta sala vão olhar para você. São todos professores com seu campo específico de pesquisa. Existem milhares aqui, especialistas em tudo que é assunto, desde leitura dinâmica até estenografia. Sempre tem novos professores aparecendo, dos campos de retórica, sintaxe, estilo, fonologia, estudo de fontes de caracteres e até mesmo qualidade do papel. Pode escolher, este lugar está transbordando desses. Aqui você teria muito mais sorte se achasse alguém que não é professor.

O gato parecia decepcionado com a resposta do homem, que aproveitou o momento de silêncio para se despedir e seguir seu caminho.

— Ei! — o gato gritou para ele, mas o homem já estava desaparecendo em uma das passagens por trás de um pilar. Rintaro e Sayo só olharam para ele sem reação.

— O que foi aquilo?

O gato ignorou Rintaro e voltou a caminhar pela passarela gigante, parando o próximo homem que cruzou seu caminho. Esse tinha idade e aparência física diferentes das do anterior, mas a mesma pele sem cor, e carregava uma pilha semelhante de livros.

— O que é? Estou muito ocupado.

— Estamos procurando uma pessoa.

— É melhor não procurar — o homem disparou de volta. — Este aqui é um grande centro de pesquisas, cheio de pessoas parecidas, que pensam da mesma maneira, e estão todas igualmente ocupadas. Claro, todos anseiam por afirmar a própria singularidade, mas, uma vez que todos estão igualmente obcecados com isso, não há nada de singular em ninguém. No fim das contas, é impossível distinguir um do outro. Em um lugar como este, tentar encontrar um "alguém" específico não é só difícil como também despropositado. Adeus.

E, com isso, ele foi embora.

Em seguida, o gato falou com uma mulher relativamente jovem, mas sua pele sem vida e sua resposta mística foram iguais às dos dois homens.

Enquanto procuravam por uma quarta pessoa para quem pudessem perguntar, Sayo colidiu com um jovem. Ele perdeu o controle da pilha de livros e todos eles caíram no chão.

— Me desculpe — disse ela, fazendo uma reverência. O homem olhou com desprezo e rapidamente começou a reunir os livros. Rintaro foi ajudá-lo, mas, de repente, congelou ao segurar um livro em mãos.

*Recomendações para uma forma totalmente nova de ler.*

Qualquer que fosse o ponto de vista, era um título bastante infeliz para um livro.

— Onde está a pessoa que escreveu este livro? — perguntou.

O homem ergueu uma sobrancelha e encarou Rintaro.

— Estamos procurando a pessoa que escreveu este livro — Rintaro repetiu.

— Se estão procurando pelo diretor, desçam aquelas escadas que levam até o escritório. Vocês o encontrarão lá.

Com os braços cheios de livros mais uma vez, ele apontou o queixo em direção a um dos pilares localizado à direita. Atrás dele, havia um pequeno lance de escadas que levava ao andar de baixo.

— O diretor é tão dedicado à própria pesquisa que se tranca lá no escritório e raramente vem até aqui. Se vocês forem até lá, vão conseguir encontrá-lo.

De alguma forma, a resposta que ele deu conseguiu ser pomposa e, ao mesmo tempo, impassível.

— Obrigado — disse Rintaro, fazendo uma reverência. Mas, quando levantou a cabeça de novo, o homem já tinha desaparecido por uma escada do outro lado do corredor.

Eles desceram a escada, mas logo perceberam que não havia fim.

— Então é por isso que ele raramente vai até lá — resmungou Sayo.

No mesmo instante, sua voz foi sugada e ecoou sombria em algum lugar bem abaixo deles.

— Acha que devemos continuar? — perguntou ela.

— Se não gosta da ideia, pode ir para casa a qualquer momento — respondeu Rintaro. — Você sabe que eu sempre voto por voltar pra casa.

— Tudo bem, então. Quem quiser ir para casa, fique à vontade. Pode dar meia-volta. Na minha opinião, uma vez que você começa alguma coisa, é melhor não desistir no meio do caminho.

As palavras de Sayo pareceram iluminar a escuridão que os cercava. Rintaro ficou em silêncio no mesmo instante.

As escadas, que no começo levavam direto para baixo, aos poucos foram se curvando e transformando-se em espirais. Estava escuro e opaco para onde quer que olhassem; parecia que os três estavam sendo puxados para as profundezas da Terra. A paisagem era permanente. As paredes da escada eram iluminadas por lâmpadas em intervalos, entre as quais havia diversas pilhas de livros. Alguns eram novos, outros, mais antigos, mas o que todos tinham em comum era o título: *Recomendações para uma forma totalmente nova de ler*. De vez em quando, pessoas vestindo jalecos brancos passavam por eles, subindo as escadas com os braços cheios de livros, mas tinham pressa e não prestavam absolutamente nenhuma atenção ao trio.

De repente, Sayo gritou:

— Beethoven?

Rintaro parou para ouvir. Era verdade, o som fraco de uma música vinha de longe.

— É a "Nona Sinfonia" de Beethoven, o terceiro movimento, acho.

— A "Nona Sinfonia" de Beethoven?

O vice-capitão do grupo assentiu com a cabeça, confiante.

Conforme continuaram descendo, a música foi ficando mais alta, e Rintaro conseguia distinguir com clareza a melodia refinada da seção de cordas.

— O segundo tema.

Assim que Sayo falou, a melodia mudou e um tema mais expansivo e lento começou a tocar. Os três aventureiros pareciam estar sendo puxados pela ondulação das cordas, dos instrumentos de sopro e de seu ritmo claramente acelerado. Em questão de um instante, estavam na parte inferior da escada, diante de uma modesta porta de madeira. Acima da porta, havia uma placa de identificação com os dizeres "Gabinete do Diretor". Não havia outro adorno nem marcação de qualquer tipo. De dentro, vinha uma música orquestral em volume alto. Não era uma imagem muito atraente, mas o grupo ficou aliviado por ter enfim chegado ao fim daquela escada interminável.

Com um aceno do gato, Rintaro bateu suavemente à porta.

Ele bateu duas vezes e, em seguida, uma terceira, com muito mais força, mas não houve nenhuma resposta além do som da Nona de Beethoven.

Hesitante, Rintaro segurou a maçaneta da porta e a empurrou.

Com um leve rangido, a porta se abriu e uma explosão de música terrivelmente alta atingiu os três.

O cômodo não era muito grande. Bem, era difícil determinar o tamanho real com as pilhas de livros e papéis que se estendiam até o teto, em todos os quatro lados. O espaço entre os livros era bastante estreito, e havia uma única mesa no meio, de costas para a porta. A mesa também estava enterrada sob montes de papel.

Sentado à mesa, de costas para Rintaro e os outros, estava um homem, não alto, mas bastante corpulento. Mantinha-se completamente absorto em algum trabalho. Rintaro podia ver que ele segurava um livro na mão esquerda; na direita, uma tesoura. Para o choque de todos, parecia que ele recortava o livro. A cada movimento da tesoura, pedaços de papel voavam no ar, e o objeto ia se tornando cada vez menos parecido com um livro.

Era curiosa, para dizer o mínimo, a imagem desse homem largo trajando um jaleco branco, imerso em uma tarefa tão bizarra.

— O que...

Sayo estava sem palavras. Até o gato malhado não conseguia fazer nada além de olhar.

Claro, o som explosivo da "Nona Sinfonia" era só um adicional à estranheza da cena. Vinha de uma máquina próxima dele à mesa. Não era um tocador de CD, tampouco um toca-discos. Rintaro reconheceu como um antigo tocador de fitas cassete, o típico aparelho que vira seu apogeu pelo menos uma geração antes. Rintaro só o reconheceu porque seu avô possuíra um. Havia algo um tanto ridículo na imagem das minúsculas rodas giratórias da fita cassete.

— Com licença — arriscou Rintaro, mas o homem não se mexeu.

Ele tentou mais uma vez, porém ainda assim não houve reação. Respirou fundo e projetou a voz da forma mais alta possível, do fundo de seu estômago. Por fim, o homem parou o que estava fazendo e se virou.

— Sim? O que é isso? — disse em uma voz estridente.

O homem tinha uma aparência muito peculiar. Ele usava óculos grossos; o jaleco branco estava bastante amassado sobre a barriga protuberante e a cabeça era careca, exceto por alguns cabelos brancos perdidos. O fato de usar um jaleco parecia sugerir que era um estudioso ou pesquisador, mas fora isso não havia nenhum indício de nada intelectual ou educado nele.

— Desculpe o incômodo — continuou Rintaro.

— Ah, sim, desculpem — gritou o homem, em uma voz alta o suficiente para ser ouvido sobre as notas estridentes da Nona de Beethoven. — Não percebi quando vocês entraram.

Enquanto ele girava sua cadeira para ficar de frente para os visitantes, tanto Sayo quanto Rintaro estremeceram ao vê-lo segurando uma tesoura em uma mão e um livro mutilado na outra.

— Raramente recebo convidados aqui — explicou. — Lamento que não haja lugar para se sentarem.

Sua voz continuou a crescer acima da música.

— O que vocês querem?

Rintaro levantou a voz para corresponder.

— Viemos até aqui porque ouvimos dizer que livros estavam sendo picotados. Você...

— O quê? Como assim?

— Ouvimos dizer que muitos livros foram picotados...

— Desculpe, não consigo te ouvir. Você poderia falar um pouco mais alto?

— Eu disse que muitos livros foram...

De repente, houve um barulho dolorosamente estridente, e a música foi interrompida de forma abrupta. Em seu lugar, um silêncio arrepiante tomou conta da sala. O homem franziu a testa e lutou para sair da cadeira, estendendo a mão para o aparelho na ponta da mesa.

— É... — Com a interrupção de Rintaro, o homem congelou, com a mão rechonchuda ainda parada no ar.

— A sua fita e o toca-fitas são muito antigos. Às vezes, a fita pode enroscar.

O homem apertou o botão para abrir a máquina e começou a retirar a fita cassete. Se você ouvisse uma fita cassete várias e várias vezes, ela estaria fadada a se soltar e a eventualmente engasgar no mecanismo. Devia ser algo comum para o homem, porque, com absoluta calma, ele removeu a fita do reprodutor, enrolou-a de novo com cuidado e colocou de volta no aparelho. Então apertou o botão para que tocasse mais uma vez. Nem dois segundos depois, os sons estrondosos da "Nona Sinfonia" de Beethoven começaram outra vez.

— De novo, digam o que vocês querem — gritou o homem.

Rintaro franziu a testa para o estudioso expansivo.

— Não me olhe assim — disse o homem. — Beethoven é um dos meus compositores favoritos; admiro em especial a "Nona Sinfonia". Minha pesquisa se desenvolve muito melhor quando o escuto.

— Pesquisa? Que pesquisa? — Rintaro estava enojado, mas o homem de meia-idade não pareceu notar. Ao contrário, ele acenou com a cabeça, satisfeito.

— Fico muito contente por você ter perguntado. O foco da minha pesquisa é, em resumo, "A Dinamização da Leitura".

— Sabe de uma coisa? — sussurrou Sayo no ouvido de Rintaro. — Acho que ele tá usando o Beethoven pra bloquear tudo o que ele não quer ouvir.

Isso poderia muito bem ter sido verdade, mas não havia nada que eles pudessem fazer. Naquele momento, Rintaro apenas agarrou a oportunidade diante dele:

— O que você quer dizer com dinamização da leitura?

— Bom, muito simples. Em resumo, é uma pesquisa sobre como ler mais rápido.

O estudioso sorriu e fez movimentos de corte com sua tesoura.

— Há uma enorme quantidade de livros no mundo, mas nós, humanos, estamos tão ocupados que nunca conseguimos encontrar tempo suficiente para ler todos eles. Mas, quando eu concluir minha pesquisa, as pessoas serão capazes de ler várias dezenas de livros todos os dias. E não só os best-sellers mais populares; mas também histórias complexas e até mesmo trabalhos filosóficos difíceis. Será uma das maiores conquistas da história da humanidade.

— Dezenas de livros por dia?

Rintaro e Sayo responderam ao mesmo tempo:

— Você tá falando de leitura dinâmica?

— Quer dizer leitura dinâmica?

O estudioso, satisfeito, concordou com a cabeça.

— Leitura dinâmica é uma habilidade muito importante. Mas, em geral, não funciona a menos que você esteja familiarizado com o tipo de texto que está lendo. Por exemplo, é bastante útil para escolher as informações que você procura em uma lista de preços de ações em um jornal, porém um novato na área da filosofia não será capaz de ler rapidamente *Ideias para uma fenomenologia pura*, de Husserl, assim tão fácil. Agora... — Com um sorriso de satisfação no rosto, ele acrescentou uma pausa dramática e ergueu o grosso indicador no ar. — Fui bem-sucedido ao combinar uma segunda habilidade com leitura dinâmica.

— Uma segunda habilidade?

— A de resumir!

Rintaro e Sayo mal podiam acreditar no que estavam ouvindo.

O momento foi marcado pelo final do terceiro movimento da sinfonia. Houve um silêncio fugaz e, então, o quarto movimento começou com a intensa cacofonia de instrumentos de sopro. O estudioso levantou a voz ainda mais alto:

— Resumo, sinopse; chame do que quiser. Aqueles que dominaram a leitura dinâmica podem aumentar sua velocidade ainda mais com o uso de trechos do texto, conhecidos como "resumo" ou "sinopse". Claro, nós eliminamos todos os termos técnicos e jargões, frases características e expressões específicas, ou quaisquer expressões idiomáticas rebuscadas ou muito sutis. O estilo é livre de qualquer individualidade, as expressões são deliberadamente mantidas somente quando de uso comum; as passagens são ajustadas até alcançar a maior clareza e simplicidade possível. Dessa forma, uma história que costumava levar, digamos, dez minutos para ser lida, agora pode ser otimizada para menos de um minuto.

O estudioso se abaixou para pegar um livro que caíra no chão. Inserindo aleatoriamente a tesoura, ele cortou um fragmento de uma página e, em seguida, inclinou-se para a frente para mostrá-la para Rintaro.

Havia uma única linha de texto. Rintaro a leu em voz alta:

— Melos ficou furioso.

O estudioso assentiu com a cabeça, contente.

— Esse é o resumo de *Corra, Melos!*, de Osamu Dazai.

Rintaro ficou pasmo. Enquanto isso, o homem começou a sacudir o que restara do texto.

— Veja só, até mesmo um conto famoso como esse pode ser resumido. Só o que é necessário é essa frase. Eu extraí e extraí e acabei ficando com essa frase. Naturalmente, se você usar meu método de dinamização, será capaz de ler toda a obra *Corra, Melos!* em meio segundo. Romances e outros livros mais extensos apresentam um problema um pouco maior.

Ele estendeu um braço carnudo em direção ao aparelho de som e aumentou o volume ainda mais. "Ode à alegria", tocada pelos instrumentos de cordas mais graves, ecoou exuberante pelo cômodo.

— No momento, estou trabalhando no *Fausto*, de Goethe. O objetivo é reduzi-lo a dois minutos, mas a tarefa está se mostrando um grande desafio.

Ele jogou uma pilha de livros sobre a mesa. A força do impacto fez vários dos pedaços de papel espalhados ali começarem a dançar como flocos de neve. Era impossível saber se algum desses livros era uma cópia de *Fausto* porque pelo jeito todos já tinham sido submetidos ao tratamento com tesoura.

— Já consegui eliminar noventa por cento do livro, mas, mesmo com dez por cento do original, esse ainda é um enorme projeto. Realmente precisa ser condensado ainda mais. Vai dar muito trabalho. No entanto, há muitas pessoas que desejam ler *Fausto*, então preciso alcançar as expectativas delas.

Rintaro só não gritou "Você está louco?", no mesmo instante, porque Sayo falou primeiro.

— Esse não é um jeito muito esquisito de fazer isso? — ela falou, mas sua voz foi, infelizmente, um pouco abafada pelo som de Beethoven.

— Esquisito? Por quê?

— Bom...

A franqueza da pergunta a surpreendeu por um instante. O estudioso estava girando a cadeira para trás, em direção à mesa, mas se virou para olhar de frente para seus visitantes.

— Dizem que as pessoas não leem mais. Mas isso não é verdade. Elas estão muito ocupadas. Realmente há um limite para o tempo que podem gastar lendo. No entanto, são tantos os livros que as pessoas querem ler. É natural que queiram ser expostas a várias histórias diferentes. Quer ler *Os irmãos Karamázov* ou *As vinhas da ira*? Como atender a essa necessidade?

O estudioso levantou o queixo duplo.

— Leitura dinâmica e uma sinopse. É essa a resposta.

Ele não tinha tocado no aparelho, mas, de alguma forma, o volume da "Nona Sinfonia" pareceu aumentar ainda mais.

— Este livro aqui...

Dos pedaços de papel empilhados à sua direita, o estudioso produziu um livro de aparência antiga. Era o mesmo título que o trio tinha visto várias vezes em sua jornada até o gabinete do diretor: *Recomendações para uma forma totalmente nova de ler*.

— Esta é minha obra-prima, uma compilação de todas as minhas pesquisas. Aqui, junto com as mais recentes técnicas de leitura dinâmica, estão as sinopses de uma centena de livros clássicos, de culturas orientais e ocidentais, que eu mesmo tenho me dedicado a resumir. Em outras palavras, se você tiver este livro em sua estante, poderá ler uma centena de livros em um único dia. Tem um segundo e um terceiro volume a caminho. Muito em breve, as pessoas terão acesso a livros de todo o mundo sem desperdiçar nem um pouquinho de tempo sequer. Não é maravilhoso?

— Entendo — disse Rintaro. Claro, ele não entendia de jeito nenhum, mas sentiu que precisava dizer algo para que o homem enfim parasse de falar. — Ainda assim, o que a pessoa lê é completamente diferente do livro original — Rintaro acrescentou.

— Diferente? Bom, suponho que possa ter sido alterado um pouco, sim.

— Não apenas um pouco — a voz profunda do gato malhado ecoou pela sala. — Ao fazer isso, coletar todos esses livros e cortá-los em pedaços, tudo o que você está fazendo é mutilá-los, reduzindo-os a recortes de papel. O que significa que você está privando o livro de qualquer vida.

— Você está errado!

A voz do homem se rasgou contra eles como uma grande rajada de vento. Havia um peso em seu tom que não estava lá antes.

— Estou dando uma nova vida a esses livros. Veja...

Seu tom mudou de novo; dessa vez, ele falou como uma gentil advertência.

— Se as histórias não forem lidas, elas vão desaparecer. Só estou dando uma mão para ajudar a mantê-las vivas. Eu as resumo. Ofereço uma forma de leitura mais rápida. Assim, as histórias perdidas podem deixar sua marca nos dias atuais e, ao mesmo tempo, as pessoas que querem se envolver com alguma dessas histórias, mas só têm certo tempo de sobra, também podem fazê-lo.

Ele se levantou devagar, brandindo a tesoura na mão direita como o maestro de uma orquestra segurando uma batuta.

— Melos ficou furioso. Não acha que é o resumo perfeito?

Ele começou sua própria condução imaginária da Sinfonia de Beethoven.

— Livros e músicas são tão parecidos, não concorda? Eles trazem sabedoria, coragem e cura para as nossas vidas. Foram criados por seres humanos como ferramentas que oferecem conforto e inspiração. E, ainda assim, há uma grande diferença entre os dois.

Enquanto a forma rotunda do estudioso se torcia e rodopiava ao som da complexa melodia, seu jaleco branco desenhava um exagerado arco no ar, e a tesoura refletia perigosa ao encontro da luz.

— A música pode chegar até nós todos os dias, em várias situações: o rádio do seu carro enquanto você dirige, fones de ouvido enquanto está correndo, meu toca-fitas aqui no laboratório. Pode estar com você em qualquer lugar, a qualquer hora, o que quer que esteja fazendo. Mas um livro não. Você pode ouvir música enquanto corre, porém não pode ler um livro. Você pode trabalhar em sua pesquisa enquanto ouve a Nona de Beethoven, contudo não consegue escrever um ensaio e ler *Fausto* ao mesmo tempo. É por causa dessas limitações patéticas que os livros estão morrendo. Estou me dedicando a esta pesquisa a fim de resgatar o livro de seu destino lamentável. Não estou mutilando esses livros, estou salvando-os.

No exato momento em que ele terminou de falar, um barítono começou a cantar, quase como se o estudioso tivesse cronometrado seu discurso para coincidir com a música.

O gato não respondeu. Rintaro, por sua vez, poderia entender de certa forma o que o homem estava dizendo. O mesmo aconteceu com o acumulador de livros que conheceram na aventura anterior. As abordagens dos dois em relação à leitura tinham um ar de loucura, mas alguma coisa em suas palavras era marcante e impedia o riso. Talvez fosse a marca da verdade.

— Hoje em dia — disse o estudioso com calma, quase como se tivesse sentido a agitação no coração de Rintaro —, não se considera que um livro vale a pena só porque ele é profundo ou difícil. As pessoas querem desfrutar as obras-primas de uma forma simples, agradável, elegante, como se fossem uma coleção de canções de Natal. Uma obra-prima não pode sobreviver se não se adapta às exigências dos tempos. Portanto, brado essa tesoura para sustentar a vida desses livros.

— Sr. Proprietário?

A voz do gato trouxe Rintaro de volta à realidade.

— Você não está impressionado com isso tudo, está?

— Para ser sincero, estou um pouco impressionado, sim.

— O quê...?! — O gato malhado olhou para Rintaro, os bigodes rígidos em aborrecimento.

No canto da visão de Rintaro, o estudioso ainda gesticulava, conduzindo uma orquestra imaginária em sua mente. A luz fluorescente do alto refletia-se na tesoura, e a "Ode à alegria", que começara com uma única voz, tinha chegado ao primeiro coro.

— Admito que seria incrível conseguir ler *Fausto* em dois minutos, mas...

— É uma falácia. Ele não passa de um sofista.

— Quer seja uma falácia, quer não — interrompeu Sayo —, eu meio que entendo o que ele procura dizer. Sempre fui uma leitora lenta e não sou boa com livros difíceis, então eu ficaria tentada a escolher algo mais fácil de ler, seja por leitura dinâmica, seja por meio de um resumo.

— Você entende — anunciou o estudioso, com um bom tanto de satisfação. — Você realmente entende. E eu quero ajudar pessoas como você.

Sayo parecia enfeitiçada. A garota do colégio, em geral inteligente e cheia de vida, olhou para o estudioso com uma expressão sonhadora, como se estivesse em algum tipo de transe.

O gato ergueu a voz com urgência:

— Ela está prestes a cair no feitiço dele, faça alguma coisa!

— Eu não sei o que fazer.

Os tons altos da "Ode à alegria" eram perturbadores demais para Rintaro conseguir pensar com clareza. A música se tornou uma cerca que rodeava o estudioso, mantendo os visitantes afastados.

Rintaro enxugou o suor da testa, fechou os olhos e ergueu a mão direita em direção à armação dos óculos. O que o vovô diria nesta situação?

Ele fez o melhor que pôde para invocar uma imagem do avô em sua mente – o velho sentado de lado, perdido nos próprios pensamentos, com a xícara de chá erguida em direção à boca. Os olhos gentis seguindo as palavras na página, com seus óculos de leitura brilhando à luz do lampião. Dedos enrugados virando as páginas suavemente...

— Você gosta das montanhas, Rintaro?

Parecia vir de algum lugar bem no fundo da mente de Rintaro; a voz robusta do avô enquanto preparava com cuidado um bule de chá.

— As montanhas, Rintaro.

— Eu não sei. Nunca escalei uma montanha.

Rintaro não se preocupou em responder do jeito certo, provavelmente muito absorto no livro que estava lendo. O avô sorriu e sentou-se ao lado do neto.

— Ler um livro é muito parecido com escalar uma montanha.

— Como assim?

Com sua curiosidade aguçada, Rintaro enfim olhou por cima do livro. O avô passou a xícara de chá devagar sob o nariz, como se estivesse saboreando o aroma.

— Ler não é só um prazer ou entretenimento. Às vezes, você precisa examinar as mesmas linhas a fundo, ler as mesmas frases várias e várias vezes. Às vezes, você fica lá sentado com a cabeça nas mãos e só progride em um ritmo árduo e lento. E o resultado de todo esse trabalho duro e desse estudo cuidadoso é que, de repente, seu campo de visão se expande. É como encontrar uma bela vista ao final de uma longa escalada.

Sob a luz da lâmpada antiquada, o avô de Rintaro tomou um gole de chá, calmo e confiante, parecendo um velho mago sábio de algum romance de fantasia.

— Ler pode ser exaustivo.

Os olhos do velho cintilaram por trás dos óculos de leitura.

— Claro que é bom ter prazer em ler. Mas as vistas que se pode ter em caminhadas leves e agradáveis são limitadas. Não condene a montanha pelas trilhas íngremes. Também é uma parte valiosa e agradável da escalada o esforço de subir uma montanha passo a passo.

Ele esticou a mão fina e ossuda e a colocou sobre a cabeça do garoto.

— Se você vai escalar, escale uma montanha alta. A vista do topo será muito melhor.

A voz era calorosa e reconfortante.

Surpreendeu Rintaro que ele tivesse tido tal conversa com o avô.

— Sr. Proprietário?

Ao ouvir a voz do gato malhado, Rintaro abriu os olhos.

A primeira coisa que ele percebeu foi que houve uma clara mudança na aparência de Sayo. Suas bochechas tinham perdido o brilho saudável e seus olhos brilhantes estavam vazios de qualquer vitalidade; não passavam de refletores da pálida iluminação de neon. A estranha palidez de sua pele agora combinava com o rosto dos trabalhadores de jaleco branco que tinham visto no caminho.

A sinfonia atingia o clímax e, como se estivesse sendo sugada pela música, Sayo começou a caminhar em direção ao estudioso. Por instinto, Rintaro estendeu a mão para ela e puxou-a de volta. A mão da garota estava gelada e seu físico leve não ofereceu resistência. Foi assustador. Rintaro estremeceu ao sentir a pele frígida, mas não largou a mão dela até conseguir conduzi-la a uma cadeira para que se sentasse.

— Isso não vai fazer você ganhar muito mais tempo, Sr. Proprietário.

— Eu sei.

Rintaro pareceu inabalado com o aviso. Não tinha nem a grandiosidade do gato malhado, nem a sagacidade da amiga Sayo, mas, ao longo de sua vida tediosa e monótona, encontrara-se em meio a um bocado de situações e conflitos surreais.

No meio da sala, o estudioso de jaleco branco ainda segurava a tesoura na mão direita e o livro na esquerda, como se conduzisse a música. Cada vez que ambas as mãos se juntavam, pedaços de papel branco voavam pelo ar.

Rintaro não sabia nada sobre "A dinamização da leitura". No entanto, era óbvio para ele que a leitura dinâmica, ou reduzir uma obra a uma sinopse, tiraria completamente o poder de um livro. No final das contas, frases cortadas não eram nada mais do que fragmentos.

Apressar-se implica perder muitas coisas. Andar de trem pode levar ao longe, mas é um equívoco pensar que isso permitirá ver mais coisas. Flores na sebe e pássaros no topo das árvores são acessíveis apenas a quem vai caminhando com os próprios pés. Rintaro ponderou tudo isso antes de se aproximar do estudioso.

Ele levou o tempo necessário, não se apressou, não tomou decisões precipitadas. Estendeu a mão direita em direção ao toca-fitas sobre a mesa. No mesmo instante, o acadêmico disparou a mão rechonchuda e agarrou Rintaro pela manga.

— Por favor, não desligue minha música.

— Não vou desligar.

O tom amigável do garoto pareceu confundir o estudioso, e Rintaro conseguiu estender a mão e apertar o botão de avançar.

Houve um zumbido e a Nona de Beethoven começou a tocar três vezes mais rápido. Uma "Ode à alegria" afobada, vertiginosa e bastante perturbadora.

— Pare com isso! Você está estragando tudo!

— Eu concordo plenamente — disse Rintaro, calmo. Ele não tirou o dedo do botão de avançar e a cacofonia continuou. — Mas, se eu avançar, você conseguirá obter muito mais da sua amada "Nona Sinfonia".

O estudioso estava prestes a responder, porém, de repente, levantou as sobrancelhas e engoliu as palavras.

— No entanto — Rintaro continuou —, isso também implica arruinar a música. A "Nona Sinfonia" deve ser tocada no ritmo adequado à "Nona Sintonia" se você quiser ouvir da forma apropriada.

Rintaro tirou o dedo do botão. O refrão voltou a tocar como uma canção majestosa.

— Esta é a velocidade em que esta música deve ser ouvida. Avançar deixa ela uma porcaria.

O refrão mudou para uma oitava mais alta. *Freude! Freude!*, cantaram em arrebatadora alegria.

O estudioso olhou para Rintaro.

— Livros também...

As palavras que ele murmurava mal podiam ser ouvidas com a música.

— Você quer dizer que eles são iguais?

— Quero dizer que uma leitura dinâmica ou um rápido resumo são como ouvir o final dessa sinfonia em uma velocidade avançada.

— O final em velocidade avançada...?

— Pode até ser interessante e tudo o mais, mas não seria a sinfonia de Beethoven. Se você ama a Nona de Beethoven, vai entender; é a mesma coisa para mim, que amo livros.

O estudioso ficou sem reação, ainda agarrando a tesoura na mão. Refletiu por alguns momentos, até que voltou o olhar penetrante para Rintaro.

— Mas livros que não são lidos desaparecem.
— É. É uma pena.
— Mas isso não é um problema para você?
— Não. Como eu disse, é uma pena. E eu acho que é igualmente uma pena que *Corra, Melos!* seja reduzido a uma única frase. Da mesma forma que a música é feita de mais do que somente notas, os livros são mais do que apenas palavras.
— Mas...

Ainda segurando a tesoura, o estudioso falou, com a voz embargada:

— Hoje em dia, as pessoas não conseguem mais se sentar e ler um livro. Você não acha que sinopses e leitura dinâmica são o que nossa sociedade moderna exige?

— Eu não sei e não quero saber.

Diante da resposta inesperadamente agressiva, o estudioso arregalou os olhos.

— Eu amo livros, só isso.

Rintaro fez uma pausa para olhar para seu adversário.

— Não importa o quanto a sociedade exija isso. Eu sou contra cortar livros.

Em dado momento, a performance musical chegou ao fim. Só era possível ouvir o leve barulho da fita cassete girando. Sem a música dominando o ambiente da sala, o estranho som mecânico ecoou pelo cômodo. O acadêmico abaixou em direção à mesa.

— Eu também amo livros — ele murmurou.

Rintaro deu-lhe um pequeno aceno de cabeça. Ele não teve nenhum sentimento ruim em relação ao homem diante dele. Nenhum ser humano que genuinamente odiasse livros teria elaborado um plano desses. E havia traços de honestidade misturados em suas palavras. Ele queria preservar os livros. Queria que alcançassem a maior quantidade possível de pessoas. Alguém que pensava dessa maneira não odiava livros de jeito nenhum. No entanto...

— E, no entanto, você está aqui picotando todos eles! — Rintaro não conseguiu evitar dizer. — E tem coragem de dizer que é uma pessoa que adora livros?

O estudioso ergueu uma sobrancelha e deu um profundo suspiro.

— Não gosto que falem assim comigo.

Dando um leve sorriso, o homem ergueu a mão direita. Com um flash de luz, a tesoura desapareceu. Ao mesmo tempo, surgiu um grandioso som vibrante, conforme os pedaços de papel empilhados sobre a mesa saltaram e começaram a dançar pelo ar.

Impressionado, Rintaro recuou alguns passos.

À medida que mais e mais pedaços se juntavam à dança, uma nevasca de papel se formou rapidamente. Rintaro assistiu enquanto os restos e fragmentos giratórios se sobrepunham, conectando-se um ao outro, até aos poucos assumirem a forma de livros inteiros.

No meio de tudo isso estava o estudioso, abatido. Vendo como o adversário parecia desamparado, Rintaro escolheu um livro reconstituído que estava sobre a mesa e o ofereceu para ele. O estudioso olhou para a capa.

— *Corra, Melos!*...

— Também gosto dessa história. Por que você não a lê em voz alta de vez em quando? Vai demorar um pouco, mas tenho certeza de que não vai se arrepender.

O estudioso pegou o pequeno volume e olhou para ele. Enquanto isso, a tempestade de neve de papel continuou a crescer. Os livros estavam voltando às suas formas originais e saindo da nevasca para se acomodarem em seus devidos lugares nas estantes. Foi uma visão magnífica; desde simples brochuras a imponentes volumes em capas de couro – um após o outro ocupando seus lugares de direito.

Rintaro mal tinha percebido, mas a sala passou a se encher com uma luz suave, e as notas da "Ode à alegria" começaram a tocar. Ele olhou para o aparelho de som, porém as rodinhas da fita cassete não estavam mais girando. Era o estudioso que estava cantarolando.

Alegre, balançando a cabeça com a música e com *Corra, Melos!* em mãos, o estudioso desabotoou o jaleco branco e o largou sobre a mesa. O jaleco descartado foi envolvido pela luz brilhante.

— Meu jovem convidado — ele se dirigiu a Rintaro com um sorriso no rosto, enquanto tirava a gravata e a jogava sobre o jaleco —, este tempo que passamos aqui foi maravilhoso. Desejo a você tudo de bom para o futuro.

E, com um aceno amigável de cabeça, o estudioso girou e começou a se afastar. A figura que se retirava, junto com o cantarolar alegre, foi rapidamente engolida. A melodia foi ficando cada vez mais distante, até que, por fim, tudo se derreteu na luz.

Sayo abriu os olhos e, por um tempo, não moveu um músculo sequer. Ela olhou em volta, tentando entender onde estava.

Ela dormira no canto da Livraria Natsuki. Pelo jeito, tinha se sentado em um banquinho de madeira, inclinado a cabeça contra uma estante e adormecido. O cobertor sobre ela e o pequeno aquecedor de parafina logo ao lado mostravam que alguém tinha cuidado dela. Havia uma chaleira branca em cima do aquecedor, de onde subia um vapor suave.

Ela olhou em direção à porta da frente da loja, por onde o sol da manhã estava brilhando. De costas para a luz, perdido em pensamentos e com a mão brincando com a armação dos óculos, estava seu colega de classe. Havia algo de solene na maneira como ele estava olhando para as estantes, como se gravasse cada capa, cada título, em suas retinas, e gravando cada uma das histórias em seu coração.

— Você gosta mesmo de livros, né?

Ao ouvir as palavras de Sayo, Rintaro se virou como se acabasse de perceber que ela estava ali. Ele suspirou, aliviado.

— Graças a Deus. Eu estava começando a achar que você nunca fosse acordar. Você estava desmaiada.

— Estou exausta com todos esses treinos matinais. Mas preciso dizer que não tenho o hábito de adormecer na casa de outras pessoas.

A voz de Sayo estava mais viva do que nunca, provavelmente para encobrir o fato de que ela estava corando. E continuou, apressada:

— Obrigada, Natsuki. Parece que fui meio que um peso.

— Um peso?

— Você teve que me carregar de volta, não teve? Daquele lugar estranho...

Rintaro desviou o olhar por um instante e, em seguida, balançou a cabeça obstinadamente.

— Você deve ter tido um sonho estranho.

— Ei! — A expressão de Sayo se tornou feroz. — Nem pense em fingir que foi um sonho. Não vai funcionar porque me lembro de tudo. Do gato falante, da passagem pelas estantes, daquele instituto de pesquisa surreal. Devo continuar?

— Não, já tá bom — disse Rintaro, sacudindo as duas mãos para interrompê-la. — Tudo bem. Já entendi.

— Muito bem, então. — Sayo riu.

Na mente da garota, aquela cena misteriosa continuou ressurgindo. As pessoas de jaleco branco correndo de um lado para o outro, a escada sem fim para o andar inferior, o som estrondoso da "Nona Sinfonia" e a conversa bizarra. Mas então, em algum momento no meio daquela conversa, tudo ficou confuso. Como se ela tivesse afundado em um profundo e escuro oceano. Mas ela se lembrava de como, em algum lugar no meio daquilo tudo, a mão quente do colega de classe pegara a dela e a puxara de volta. Como poderia aquele aperto forte e resignado pertencer a um garoto tão reservado e humilde?

— O que aconteceu com o gatinho?

Rintaro balançou a cabeça.

— Não o vi no caminho de volta. Foi igual à última vez, desapareceu sem se despedir.

— Então quer dizer que podemos encontrá-lo de novo?

— Você parece feliz com essa ideia — disse Rintaro, demonstrando estar um pouco perplexo. — Eu não queria te envolver em mais nenhum desses eventos estranhos.

— Eu já estou bastante envolvida nisso tudo — Sayo brincou.

Ela se levantou e espreguiçou-se. Do lado de fora da porta, a luz era clara e vívida. De acordo com o relógio de parede, quase nenhum tempo havia se passado desde que entrara na loja aquela manhã. Pelo jeito, tinha acabado de chegar. Tudo parecia tão normal que era fácil acreditar que não passara de um sonho. Apertando os olhos contra a forte luz do sol, Sayo mudou de assunto:

— Como anda a preparação para a mudança, Natsuki?

— Nem comecei ainda.

— Vai dar tudo certo?

— Provavelmente não — disse ele, sacudindo os ombros. — Acho que eu não aceitei ainda.

— Aceitou? Como assim?

— Eu não sei como explicar. Talvez eu não queira ir embora deste lugar... Penso nisso o tempo todo, mas está sendo muito difícil lidar com tudo isso. Embora eu saiba que não tenho tempo para agir desse jeito.

Sayo queria dizer que pensar não ajudaria em coisa nenhuma, mas, em vez disso, ela só olhou para ele. Sentia-se estranha. Rintaro estava sendo vago como sempre, mas dessa vez o que ele estava expressando parecia ser mais do que mera indecisão. Ele parecia mesmo estar tentando expressar todas as emoções confusas e reprimidas dentro dele. Sayo arregalou os olhos um pouco, como se tivesse acabado de ter uma epifania. Por trás da passividade e da falta de confiança desse garoto, ela tinha acabado de vislumbrar algo: alguém totalmente sério, honesto até demais.

Os pensamentos de Sayo foram interrompidos pelos risos despreocupados de um grupo de garotas do ensino médio que passavam pela loja. Ela se virou para Rintaro e falou com a voz animada como as das garotas.

— Que tal você me recomendar uns livros?

Rintaro parecia um pouco preocupado.

— Claro, mas o tipo de livro que eu gosto é meio pesado.

— Por mim, tudo bem. Depois do que aconteceu hoje, eu não vou mesmo recorrer a uma sinopse.

Rintaro riu.

— Fico feliz em ouvir isso.

Ele olhou para as prateleiras, com a mão direita nos óculos. Sayo ficou um pouco impressionada como o jeito discreto de Rintaro a lembrava de um velho professor intelectual, cheio de sabedoria e bom senso.

— Qual deles devemos...

A hesitação habitual de Rintaro parecia ter desaparecido, substituída por uma confiança e energia que Sayo nunca tinha visto nele antes. Ela apertou os olhos, observando o semblante do garoto se iluminar com a luz da porta.

## capítulo 3
## O TERCEIRO LABIRINTO

# O VENDEDOR DE LIVROS

— **M**uito bem. A lição de hoje acaba aqui. Vejo vocês amanhã.

Ao som da voz do professor, todos os alunos empurraram as cadeiras para trás ao mesmo tempo e foram se levantando, barulhentos.

— Ugh, finalmente acabou.
— Tô morrendo de fome.
— Vai pro clube hoje?

A sala de aula foi tomada por uma cacofonia de vozes. Sayo Yuzuki também se levantou, guardando livro, caderno e lápis com cuidado na bolsa.

Ela olhou em direção à janela e percebeu o único assento vazio em meio a toda a confusão.

— Faltou de novo...

Era, claro, o assento que pertencia a Rintaro Natsuki.

O fato de ele não estar lá não fazia nenhuma diferença para o ambiente da sala de aula; sua presença não costumava chamar muita atenção. Ninguém deu muita bola para sua ausência. E, até poucos dias antes, Sayo agira como todos os outros.

Mas, agora, as coisas estavam diferentes.

Ela poderia tentar se convencer de que isso estava acontecendo porque era a representante de classe, ou que morava perto dele e precisava levar o dever de casa, mas sabia que esses não eram os verdadeiros motivos. A velha imagem que tinha de Rintaro – o garoto quieto de presença nada marcante cujo nariz estava sempre enfiado em um livro – pairou em sua mente. Mas, agora, essa imagem estava acompanhada por um gato malhado laranja.

— Ei, o Natsuki faltou de novo?

Sayo se virou para ver quem havia falado. Logo depois, do lado de fora da porta, estava um garoto alto, um ano mais velho. Ryota Akiba, o capitão do time de basquete e aluno mais inteligente do último ano, sorriu para ela. Ele era excessivamente alegre e sempre atraía o olhar interessado de muitas das alunas.

— O que você quer, Akiba?

Sayo o olhou com frieza.

Juntos no conselho estudantil, os dois se acostumaram a manter constante contato um com o outro, mas dessa vez Sayo não estava com paciência para toda aquela petulância. Ela nunca fora muito adepta da diplomacia quando se tratava de sentimentos; estava sendo claramente hostil, mas Akiba parecia se divertir com isso.

— Parece que Natsuki não está vindo à escola. Isso não é bom.

— Não me parece muito convincente vindo do veterano que sumiu junto com ele.

— Poxa, assim você me ofende! Eu só fui visitar um pobre garoto que precisava de uma dose de ânimo. Ele perdeu o avô, sabe.

Akiba piscou para uma garota que estava passando. A falta de tato dele fez Sayo revirar os olhos.

— Tá bom, se você gosta tanto de animá-lo, faria outra visitinha para ele e lhe entregaria a lição de casa? Também estou com apostilas de ontem aqui.

— O quê? Você não vai levar pra ele?

— Não sei como animar um cara que está sofrendo com a perda do avô. Talvez seja melhor deixar isso pra outro garoto.

— Odeio te dizer isso, mas Natsuki e eu, nós não temos nada em comum; inteligência, habilidades físicas, personalidade, absolutamente nada. Não nos entendemos de jeito nenhum.

O sorriso não deixou o rosto de Akiba.

— É isso aí — concluiu ele. — Se você comprou esse livro na livraria dele, não deveria ir lá?

Os olhos do garoto estavam no grande volume que Sayo segurava.

— E, por falar nisso — acrescentou —, eu não fazia ideia de que a honorável vice-capitã da banda apreciava livros antigos.

— Quando vi meu colega de classe escondido na livraria lendo, pensei que seria uma boa ideia tentar ler algo também. No entanto, cada vez que abro as páginas, meus ombros ficam terrivelmente rígidos. São tantas palavras. E tantas páginas!

— Mas Jane Austen foi uma boa escolha — disse Akiba, mudando um pouco o tom de voz. — É uma ótima introdução à literatura, e o público-alvo são as mulheres. Ponto pro Natsuki.

Uma luz suave brilhou nos olhos de Akiba.

*Droga*, pensou Sayo, suspirando para si mesma. Quando pessoas que amam livros falam sobre livros, o rosto delas se ilumina.

Um tanto confusa, ela abraçou seu exemplar de *Orgulho e preconceito* com um pouco mais de força.

— Certo, vou deixar o resto com você, Rin-chan.

O ronco do motor quase abafou a voz alegre da tia, enquanto ela se afastava com o Fiat 500 branco.

Estava anoitecendo e o sol ia se afastando; o céu azul-claro do inverno ganhava um forte tom de rosa.

Rintaro observou o carro desaparecer a distância, acenando alegre para não causar nenhuma preocupação. No momento em que o viu virar a esquina e sumir de vista, soltou um longo suspiro.

— Por favor, não me chame de Rin-chan, tia... — murmurou.

A voz da tia ainda ecoava em seus ouvidos:

— Rin-chan, você precisa mesmo empacotar todas as suas coisas e ficar pronto para se mudar, tá?

Desde que o avô morrera, a tia o visitava todos os dias. Agora, ela havia marcado o dia da mudança. Rintaro passou a gostar daquela tia otimista mais do que ele esperava. Era baixinha e corpulenta de um jeito charmoso e, enquanto entrava no minúsculo Fiat branco, Rintaro lembrou-se de um amigável anão de um de seus velhos livros ilustrados. A tia era uma trabalhadora extremamente eficiente e já se preocupara com a remoção dos pertences do avô.

— Sabe, viver a vida trancado no quarto desse jeito é como desistir completamente — ela disse.

Eram palavras que Rintaro sabia terem sido ditas por amor. Ele sabia que ela estava certa; o garoto não podia ficar na livraria para sempre, mas estava sem reação.

Ele tinha acabado de se despedir da tia quando avistou a representante de classe do outro lado da rua. Parecia que ele havia sido resgatado.

— Que rara imagem: um *hikikomori* ao ar livre.

Ela se aproximou a passos largos, como sempre.

— Está voltando da escola?

— Não exatamente. Faltou de novo, né? Que diabos, Natsuki!

Ainda que o olhar de Sayo fosse frio, Rintaro descobriu que não se importava em ser o alvo dele. Mudou de assunto:

— Era minha tia — explicou, olhando para a rua. — Ela veio dizer para eu me preparar para a mudança. A empresa vem buscar as coisas depois de amanhã.

— Nossa! Já? — Sayo parecia genuinamente surpresa.

— Já faz quase uma semana que o vovô morreu. Acho que um aluno do ensino médio como eu não pode ficar sozinho pra sempre.

— E ainda assim você age como se tudo isso estivesse acontecendo com outra pessoa. Você está tão tranquilo.

— Não estou nem um pouco tranquilo.

— Olha você de novo, remoendo tudo sozinho como sempre. Se você não parar de pensar um pouco, seu cérebro vai superaquecer.

Sayo acertou em cheio. Rintaro fez uma careta.

— Bom, pelo menos é a última vez que você vai ter que me entregar meu dever de casa.

— A propósito, este não é o seu dever de casa. — Sayo ergueu o livro que estava carregando. — Eu gostei mesmo disso aqui.

Foi a vez de Rintaro ficar surpreso.

— Já terminou?

— Sim. Graças a você, devorei tudo em dois dias. Mal dormi.

Ela fingiu estar irritada, mas havia um leve sorriso em seu rosto. Ela olhou para a livraria.

— Me indica alguma outra coisa. Se você vai se mudar em dois dias, é melhor eu comprar alguns.

Ela entrou sem esperar resposta. Rintaro se apressou atrás dela, mas não tinha dado nem dois passos depois da porta quando trombou na garota. Sayo parou no meio do caminho.

— Que foi? — ele perguntou, mas imediatamente viu o que era.

— O amor dos jovens, Sr. Proprietário?

Parado lá dentro estava o grande gato malhado de pelo laranja e olhos verde-jade. Não havia nenhum sorriso em seu rosto. Ele estava lá no corredor, sob o brilho branco-azulado da luz que recaía sobre as estantes.

— Bom saber que você não tem nada de importante para fazer, como de costume — continuou.

— Para a sua informação, estou ocupado com as preparações para a mudança.

— Essa é uma mentira deslavada. É óbvio que você nem começou ainda.

Dispensando as objeções de Rintaro, o gato malhado voltou-se para Sayo e curvou a cabeça em uma reverência, galanteador.

— É um prazer vê-la novamente. Obrigado por tomar conta do proprietário aqui.

— Não há de quê — respondeu Sayo, claramente confusa, mas se divertindo com a situação, ainda assim. Era o tipo de flexibilidade que a tornava uma excelente representante de classe.

— Não achei que fosse te ver de novo.

— Você preferia não me ver de novo?

— Não, fiquei muito feliz em te conhecer. Me diverti muito.

O gato balançou os bigodes encantado com a sinceridade da resposta de Sayo, mas logo voltou os olhos de jade em direção a Rintaro.

— Ela é uma jovem encantadora e de mente bem aberta. Muito diferente do antiquado e conservador jovem diante de mim, que nem consegue agir de acordo com seus sentimentos.

— Não nego, mas isso não quer dizer que você está livre para invadir a minha loja. Não fico muito feliz quando você aparece aqui sem avisar.

— Não se preocupe — disse o gato casualmente. — Esta será a última vez.

— A última?

— Isso. — O gato fez uma pausa para respirar antes de prosseguir. — Preciso da sua ajuda de novo.

— Este é o último labirinto — disse o gato malhado, de maneira objetiva.

Mais uma vez, Rintaro e Sayo estavam caminhando pelo impossível e interminável corredor da Livraria Natsuki, com imponentes pilhas de livros ao redor deles e, acima, lâmpadas intercaladas.

— Você já conseguiu libertar muitos livros. Agradeço.

— Estranho, vindo de você.

Rintaro ficou um pouco surpreso com a falta de veneno nas palavras do gato.

— Isso é parte da preparação para você nos deixar?

— Em parte.

Como se estivesse se opondo às respostas indiretas do gato, o tom de Rintaro ficou mais ousado.

— Fiquei surpreso quando você apareceu aqui do nada. Você vai me surpreender de novo e desaparecer de repente?

— Isso não está sob controle das minhas patas. Gatos são, por natureza, criaturas de vontade própria. Eles não vêm e vão de acordo com a vontade dos seres humanos.

— Os outros gatos que eu conheço não têm uma língua afiada como a sua.

— Que menino ingênuo! Existem muitos gatos como eu.

O gato malhado nem se deu ao trabalho de virar a cabeça. Rintaro deu um sorriso sofrido.

— Vou sentir falta do seu jeito encantador de usar as palavras.

— Não se precipite. Esta é uma conversa para depois que visitarmos o próximo labirinto.

O gato malhado parou de repente e olhou para Rintaro. Havia uma seriedade em seu olhar que o garoto não tinha visto antes.

— O mestre do terceiro labirinto é meio que um pé no saco.

O gato voltou seus olhos de jade para Sayo, que estava ouvindo em silêncio.

— O quê? — ela perguntou, franzindo a testa.

— Nosso adversário final é um pouco diferente dos outros que já conhecemos.

— Você está querendo dizer que ele é perigoso? Está tentando fazer a gente desistir?

O gato ignorou a pergunta e começou a limpar o rosto, em uma cena performática.

— Esse adversário é extremamente imprevisível. Tenho certeza de que o Sr. Proprietário ficará ainda mais preocupado com sua segurança.

— Então agora você tá do lado do Natsuki? — Sayo perguntou.

— Certamente que não — retrucou o gato.

— Não?

— Só fiquei espantado com a sua presença aqui. Mas vejo agora que não foi um acidente.

Sayo e Rintaro se entreolharam.

— Você deve estar aqui por algum motivo, então minha esperança é de que permaneça conosco nessa jornada final.

— Ei... — Rintaro estava começando a entrar em pânico.

Ignorando-o completamente, o gato se virou para Sayo e abaixou a cabeça.

— Se alguma coisa acontecer comigo — disse, em sua profunda e poderosa voz —, por favor, cuide do Sr. Proprietário.

Sayo ficou em silêncio por um instante, mas, em seguida, respondeu com seu sorriso encantador, como de costume:

— Então quer dizer que você quer minha ajuda?

— O Sr. Proprietário é razoavelmente inteligente. Mas, porque lhe falta coragem, ele tende a hesitar em momentos cruciais. Não é confiável.

— Entendo seu ponto.

— Sei que estou zombando dele bem na frente...

Rintaro finalmente interrompeu:

— Olha, Sayo, você não tem que aceitar nada disso.

— Um tempo atrás, era capaz que eu não aceitasse, mas agora, Natsuki, sinto que, se algo acontecesse com você, nós dois estaríamos em apuros.

Pego de surpresa pelas palavras de Sayo, Rintaro se calou. Sayo deu uma piscadela para ele.

— Porque, aí, quem me indicaria outro livro?

O gato malhado deu uma risadinha.

— Maravilha.

E, com isso, deu meia-volta e continuou a caminhar. Sem hesitar, Sayo o seguiu. Rintaro não teve escolha a não ser correr para alcançá-los. Ele logo foi cercado por uma forte luz branca...

O cenário do outro lado da luz era mais uma vez diferente. A primeira coisa que viram foi um caminho longo e sinuoso. Em termos de tamanho, era o mesmo pelo qual tinham entrado, mas em todos os outros aspectos era completamente diferente. Para começar, o céu estava azul-claro acima deles. Diferentemente do corredor escuro e mal iluminado da livraria, era um ambiente ao ar livre. As paredes eram muito mais altas do que Rintaro, então ele não conseguia enxergar além delas em nenhum dos lados, mas a forte luz do sol sobre eles fazia o lugar parecer amplo e arejado. No entanto, havia algo que não combinava com a atmosfera pacífica.

Foi Sayo quem reagiu primeiro:

— Ai! O que é tudo isso? — Sua voz soou estridente, quase um grito.

Embora não tenha dito nada, Rintaro ficou igualmente chocado.

As paredes de ambos os lados da passagem eram feitas de pilhas de livros, mas não havia nada de limpo ou ordenado nelas. Alguns livros estavam rasgados, outros, amassados, e os que estavam na parte inferior foram completamente esmagados pelo peso dos livros superiores. Parecia não haver lógica nenhuma para o empilhamento, apenas altas colunas que se estendiam até o céu. Mesmo para quem não fosse um amante de livros como Rintaro, a imagem faria qualquer um estremecer.

— Vamos nessa!

Todos levantaram o queixo, que havia caído em surpresa, e foram se recompondo. Mas não havia nada a ser dito. A única maneira de expressar os sentimentos do momento era com o silêncio.

Rintaro e Sayo assentiram um para o outro e começaram a andar.

Percorrer a estrutura era como tentar encontrar a saída para a exposição de arte moderna mais mal projetada de todos os tempos. O caminho dava voltas erráticas e, sem uma visão clara diante deles, logo perderam todo o senso de direção. O cenário decadente foi se acentuando ainda mais com a luz do sol.

Eles não faziam ideia de quão longe ou por quanto tempo estavam andando quando chegaram a uma parede cinza gigante que bloqueava a passagem. Sayo soltou um suspiro que soou como alívio.

— Um beco sem saída?

— É isso? — perguntou Rintaro, parando e olhando para cima.

A parede gigante diante dos três estava cheia de incontáveis janelas quadradas cujo topo não era possível enxergar e que desaparecia em meio à neblina lá em cima. Por causa das paredes de livros em ambos os lados, era difícil conseguir ver o lugar todo, mas a parede cinza ao final do caminho era provavelmente a lateral de um enorme arranha-céu.

Eles avançaram mais alguns passos e viram que, de fato, era um prédio alto e cinza, com uma grande porta de vidro no térreo. Havia uma placa acima da porta sinalizando "Entrada".

— Acho que isso quer dizer que devemos entrar — disse o gato, parecendo nada impressionado e se direcionando para a porta, que deslizou e abriu em silêncio, como se desse boas-vindas.

Uma mulher em um impecável terno cor de lavanda apareceu de repente e curvou-se diante dos três visitantes.

— Bem-vindos à Melhores Livros do Mundo, a maior editora do mundo todo.

Sua voz perfeitamente mecânica combinava com o sorriso perfeitamente mecânico. Ela também tinha muita coragem para apresentar a própria empresa como a maior do mundo.

— Posso perguntar o nome de vocês e o motivo da visita?

Pego de surpresa pela falsa alegria da voz da mulher, Rintaro fez um esforço para falar.

— O que são todos aqueles montes de livros do lado de fora do prédio? — conseguiu perguntar.

— Do lado de fora?

Com aquele sorriso mecânico ainda fixo no rosto, a mulher inclinou a cabeça com curiosidade cerca de trinta graus para a esquerda. Rintaro não conseguiu não se impressionar com sua precisão.

— Lá fora, os livros estão sendo horrivelmente...

— Ai, meu Deus, vocês estavam andando lá fora? — disse a mulher, colocando a mão no coração e franzindo a testa, preocupada. — É muito perigoso. Eu sinceramente espero que vocês não tenham se machucado.

Rintaro começou a se sentir muito cansado, mas a voz calma do gato estava lá para revitalizá-lo.

— Pare com isso, Sr. Proprietário. Essa mulher não é a pessoa com quem viemos conversar.

— Imagino que não — disse Rintaro, encolhendo os ombros.

A mulher repetiu a pergunta:

— Posso saber o nome de vocês e o motivo da visita?

A pergunta foi feita sem causar reação, e Rintaro demorou para responder.

— Meu nome é Rintaro Natsuki. Estou aqui... para encontrar a pessoa que comanda a empresa... Eu acho.

Em resposta à explicação estranha de Rintaro, ela abaixou a cabeça e foi até a recepção. Fez um breve telefonema, voltou e fez mais uma reverência.

— Obrigada por esperar. O presidente receberá vocês agora.

— Agora?

— Claro. Vocês vieram até aqui para visitá-lo.

Ela passou a informação e afastou-se no mesmo instante, sem esperar pela resposta de Rintaro.

Rintaro não sabia se as coisas estavam indo bem ou mal. Não tinha ideia de qual era o objetivo do presidente, ou se tinha sequer algum objetivo, mas ao menos se livrara daquela conversa inútil.

— Deve ser um presidente bem acessível para aceitar visitantes que chegam assim sem avisar — comentou Rintaro.

— O que tá resmungando? — disse Sayo em sua orelha. — Presidentes de empresas são, geralmente, homens gordos e calvos com uma personalidade bastante desagradável. Presta atenção!

Um pouco perturbado pela declaração preconceituosa de Sayo, Rintaro seguiu a mulher por um longo corredor. O chão era feito de granito preto espesso, polido a tal ponto que eles conseguiam enxergar o próprio reflexo. No meio do chão de brilho impecável, havia um tapete vermelho por onde a mulher caminhava. Depois de um tempo, ela parou de repente e virou-se para encarar os três visitantes.

— A partir daqui, vocês serão acompanhados por outro guia.

De fato, um pouco mais adiante havia um homem de terno preto no tapete vermelho. Ele fez uma reverência extremamente longa para Rintaro e os outros.

— Não são permitidas malas ou qualquer outra bagagem de mão daqui em diante — ele avisou, com a voz monótona.

Nem é preciso dizer que ninguém estava carregando nenhum tipo de bagagem de mão. O homem só recitou sua fala, então, sem fazer qualquer tipo de verificação, virou as costas para os visitantes e começou a caminhar. Rintaro e Sayo trocaram olhares e foram atrás dele.

Depois de um tempo eles se depararam com outro homem, dessa vez vestindo um terno azul. A cor do terno era a única coisa que o diferenciava do guia anterior. O homem também fez uma reverência exagerada.

— Nenhuma autoridade ou título de negócios são permitidos daqui em diante — disse ele, sem nem tremer a sobrancelha.

Tendo recitado sua fala, assim como o homem de terno preto fizera antes dele, deu meia-volta e se retirou.

— Isso é uma pegadinha? — perguntou Rintaro.

A resposta do gato malhado não foi muito animadora:

— Não acho que esse pessoal daqui seja muito engraçadinho.

Eles seguiram o homem de terno azul até se depararar com o homem seguinte, agora vestindo amarelo.

— Nenhuma malícia ou hostilidade são permitidas daqui em diante — ele informou.

Rintaro estava começando a suspeitar de que o gato estava certo.

Eles seguiram o homem de terno amarelo pelo corredor, até que, de repente, emergiram em um grande salão aberto. Rintaro e Sayo gritaram de surpresa. O espaço era amplo e cilíndrico, tão alto que não era possível ver o teto.

Ao redor deles, brotando aleatoriamente do alto das paredes, estavam centenas de escadas que formavam caminhos que se cruzavam e se entrelaçavam como teias de aranha. Era como olhar para o detalhado painel de controle de algum tipo de nave espacial.

— Agradecemos a paciência — disse o homem do terno amarelo.

Ele gesticulou em direção ao meio do corredor, onde terminava o tapete vermelho e viam-se as portas de um elevador. Diante delas, estava um homem em um terno vermelho. Conforme Rintaro e os outros se aproximaram, ele fez uma profunda reverência. As portas se abriram e revelaram um interior cercado por paredes de vidro.

— O presidente está esperando por vocês — disse, sem emoção. — Entrem, por favor.

Quando os três estavam prestes a entrar no elevador, o homem de terno vermelho se mexeu para bloquear o caminho do gato malhado. Ele fez outra reverência cerimoniosa.

— Sinto muito, mas não permitimos nenhum cão ou gato daqui em diante.

O gato malhado permaneceu calmo. Quando Rintaro abriu a boca para protestar, o gato o silenciou com um olhar penetrante.

— Eu disse que seria complicado desta vez — relembrou o gato, virando-se para Sayo. — Estou feliz por você estar aqui. Eu não me sentiria bem em deixar este aqui continuar sozinho.

— Acho que deve ser por isso que estou aqui — concluiu Sayo. Ela sorriu.

O brilho fraco de um sorriso também pareceu passar pelos olhos verdes do gato.

Mas então, como se para dispersar qualquer demonstração de sentimento, a voz do homem de terno vermelho ecoou forte:

— Por gentileza, pressione o botão para o último andar.

Eles perceberam que, de fato, só havia um botão no elevador. Havia um grande painel com um único botão, que ostentava de forma desnecessária as palavras "Último Andar".

Em outras palavras, não havia um botão para voltar para baixo...

— Pelo jeito vamos ter que resolver isso para depois achar o caminho de volta — disse Rintaro, com um suspiro. Ele voltou a atenção para o gato malhado, que ficou do lado de fora do elevador. Houve um momento de silêncio.

— Então lá vou eu, parceiro.

— Estou contando com você, Sr. Proprietário.

Incentivado pela confiança do gato, Rintaro pressionou o botão. As portas se fecharam e, com um leve tremor, o elevador começou a se mover.

O elevador disparou por um dos corredores aéreos, deixando o gato e o homem de terno vermelho lá embaixo. Foi subindo com crescente velocidade por uma estrutura geométrica. Linhas se cruzavam por todos os lados. Até onde era possível enxergar, as escadas se estendiam em todas as direções, mas não havia uma pessoa sequer por ali. Talvez fosse uma pintura *trompe-l'oeil*.

— Estou feliz que não nos fizeram subir todas aquelas escadas — murmurou Rintaro. — Seria puxado.

Sayo sorriu. Ela sabia que Rintaro estava tentando deixar aquela situação surreal um pouco mais leve, mesmo que ele não fosse muito bom nisso.

— É intrigante demais.

— Sim, até mesmo um gato malhado linguarudo e cheio de pompa é mais divertido do que não fazer nada.

Seus olhos se encontraram e ambos riram.

Fora do elevador, escurecia aos poucos. Embora estivessem dentro de um prédio, era como se, aos poucos, o sol estivesse se pondo. As estruturas intrincadas começaram a desaparecer na escuridão e, conforme ia ficando cada vez mais difícil de enxergar, era impossível saber se o elevador ainda estava subindo ou se havia parado.

— No começo eu nem me importava se ia voltar para casa — Rintaro disse, calmo.

Sayo não respondeu, mas se virou para olhar para o amigo.

— Naquela primeira vez que o gato misterioso me levou em uma aventura — ele continuou. — Pensei que, se fosse um sonho, eu não me importaria se não acordasse nunca e, se não fosse um sonho, eu não me importaria de nunca conseguir voltar para casa.

Rintaro ajustou os óculos.

— Mas, desde que aquele gato apareceu, tenho pensado mais e mais sobre tudo o que está acontecendo. Sinto que estou começando a ver as coisas de um jeito um pouco diferente.

— Se isso está tirando você da sua conchinha, só pode ser uma coisa boa — comentou Sayo.

Rintaro sorriu de um jeito irônico.

— Eu sou um pouco acomodado, admito, mas estava mesmo tentando te proteger do perigo — disse ele.

— Sabe, Natsuki, às vezes você fala como se estivesse testando umas cantadas. É efeito colateral do monte de livros que você lê?

— Tá, vou reformular. Me desculpe por te envolver nesta bagunça.

— Você não precisa se desculpar. Estou me divertindo um monte aqui. E sabe de uma coisa? Gosto desse seu lado diferente, Natsuki.

— Diferente como?

— Ah, esquece o que eu falei — pediu ela, rindo.

Sayo imaginou Rintaro enfrentando o estudioso do jaleco branco naquele estranho laboratório subterrâneo. Não foi a primeira vez que ela rememorou aquela imagem, mas Rintaro nunca saberia disso.

Quando estava prestes a fazer mais perguntas a Sayo, Rintaro sentiu o elevador ficar mais lento, até parar por completo. Mais uma vez, a porta deslizou em silêncio e se abriu, revelando adiante um espaço mal iluminado. Era quase impossível descobrir o tamanho ou o formato do espaço, de tão sombrio. No entanto, um tapete vermelho se estendia diante deles, indicando por onde Rintaro e Sayo deveriam ir. Na outra extremidade, havia uma porta de madeira pesada com padrões geométricos esculpidos. Havia algo de muito intimidante naquela porta.

— Vá em frente, Natsuki!

— Se você diz...

— Você vai ficar bem.

Rintaro não estava se sentindo corajoso, mas foi incentivado pela voz firme de Sayo.

— Você tem mais coragem do que pensa, Natsuki. Principalmente quando tem a ver com livros. Você não precisa se preocupar com nada. Até aquele garoto, o Akiba, fica impressionado com você.

Rintaro ficou surpreso com a menção dela ao garoto.

— Akiba?

— É. Ele estava te elogiando na escola outro dia. Ele é um pouco arrogante pro meu gosto, mas é um cara honesto.

Para Rintaro, essas palavras foram tão refrescantes quanto um céu claro no inverno. Uma sensação de calor que começou no estômago passou a se espalhar. Seria demais chamá-la de coragem, mas certamente vinha do mesmo lugar.

De repente, ele sentiu Sayo dar um soquinho em suas costas.

— Só cuide para que eu volte pra casa, Natsuki.

Eles pisaram com cautela no tapete. Seria mentira se Rintaro dissesse que não estava nervoso, mas manteve o olhar virado para a frente. Algo lhe dizia que esse era o momento de agir. Ele respirou fundo e continuou andando.

— Você realmente adora livros, né?

A voz de Ryota Akiba ecoou nos ouvidos de Rintaro. O garoto estava no primeiro ano, então não tinha muito a ver com o veterano simpático. Era seu hábito ficar longe de qualquer um dos alunos mais velhos quando iam até a livraria. Akiba era a estrela do time de basquete, o melhor aluno de seu ano e participava ativamente do conselho estudantil. Rintaro, o *hikikomori* que vivia trancado na livraria do avô, era de outro mundo. Rintaro uma vez perguntou a Akiba com toda a seriedade por que um estudante bem-sucedido como ele se incomodaria em visitar a humilde Livraria Natsuki.

— Bem, obviamente porque vocês têm bons livros — ele respondeu, claramente intrigado com a pergunta de Rintaro. — Seu avô deve ficar decepcionado por você não reconhecer o lugar maravilhoso que ele tem aqui.

E, com isso, Akiba começou a rasgar elogios à livraria.

— Aqui tem livros considerados obras-primas no mundo todo. Eles resistiram por anos, até agora. Estão se tornando cada vez mais difíceis de encontrar em livrarias comuns. Mas quando venho aqui, consigo encontrar praticamente qualquer coisa que queira.

Ele bateu com os nós dos dedos na estante à sua frente.

— Entendo que as livrarias talvez não tenham coisas ecléticas como Andersen ou Johnson, mas hoje em dia até obras escritas por Kafka ou Camus estão esgotadas. E é quase impossível encontrar uma loja que tenha em estoque as obras completas de Shakespeare.

Akiba fez uma pausa como se pensasse no motivo disso.

— Porque eles não vendem — concluiu. — Livrarias não são organizações de trabalho voluntário. Não podem sobreviver se não vendem, e é por isso que os livros que não vendem apenas desaparecem. É por isso que a loja do seu avô realmente se destaca. Há uma variedade incrível de livros aqui nessas prateleiras e, mesmo que não sejam mais best-sellers, ocupam um lugar de destaque. Digo, claro que é porque é um sebo, mas aqui eu consigo achar qualquer coisa, até o mais raro dos títulos.

Enquanto falava, batia em várias estantes com os nós dos dedos, como se quisesse enfatizar seu argumento.

— Além disso — ele acrescentou com uma risada —, aqui tem um guia especializado para todos esses títulos difíceis.

— Um guia?

— Você tem um exemplar do *Adolfo*, de Constant? Eu vi alguma coisa sobre ele na internet outro dia. Dizem que é muito bom. Não consegui encontrar em nenhum outro lugar.

Rintaro assentiu com a cabeça e estendeu a mão para uma estante de livros no fundo da loja. Ele puxou um livro velho e gasto, do tamanho de um romance mediano.

— Benjamin Constant. Seu trabalho é famoso pela representação psicológica do comportamento humano; é bastante singular. Acho que este foi escrito na França no início do século XIX.

Em vez de pegá-lo no mesmo instante, Akiba fez uma pausa e lançou um olhar estranho ao livro e a Rintaro, até que não conseguiu controlar mais. Soltou uma risada de satisfação.

— Você realmente ama livros, né?

Aquela risada alegre dele parecia não se encaixar na Livraria Natsuki.

— Bem-vindos à Melhores Livros do Mundo.

A voz estrondosa os cumprimentou enquanto se aventuravam pela porta alta e imponente.

A sala que ficava depois da porta era grande, do tamanho de uma sala de aula do ensino médio. No teto, estava pendurado um grande lustre; sob seus pés, um tapete de pelúcia que abafou completamente todos os sons de seus passos. E as paredes de todos os quatro lados eram cobertas por cortinas vermelhas brilhantes.

No final da sala luxuosamente decorada estava uma mesa com uma cobertura brilhante, atrás da qual encontrava-se sentado um idoso cavalheiro, magro, com a cabeça repleta de cabelos brancos. Ele vestia um terno de três peças e recostou-se à vontade na cadeira de escritório preta, as mãos apoiadas sobre a mesa. Avaliou com calma os dois visitantes.

— Ele não é nada do que eu esperava — sussurrou Sayo. — É estranho um presidente de uma empresa que não seja gordo e careca. Eu aposto que ele está só fingindo ser o presidente. Talvez seja um gerente de nível médio fazendo hora extra.

Rintaro sorriu. Achou a falta de tato dela fascinante.

O homem atrás da mesa ergueu a mão direita.

— Entrem, por favor. Eu sou o presidente da empresa — disse, apontando para um sofá.

No entanto, nem Rintaro nem Sayo tinham vontade de sentar. O sofá parecia caro demais e estava coberto por uma espessa camada de pelo. O presidente não pareceu se incomodar com a recusa dos dois.

— Fico profundamente grato que tenham vindo até aqui para me visitar. Sei que deve ter sido uma jornada difícil; fico muito longe da entrada e a segurança é bastante rígida por aqui.

— Não autorizaram nosso amigo a vir conosco.

— Ah — disse o presidente, estreitando os olhos. — Lamento por isso. Acontece que eu odeio gatos.

— Ah... não é muito gateiro?

O sorriso gentil no rosto do homem desapareceu de repente e deu lugar a uma súbita rajada de palavras.

— Não, não sou nem um pouco gateiro. Detesto gatos. Principalmente os mais astutos. — As palavras passaram pelo ar como luz refletindo em uma lâmina.

O presidente talvez tenha percebido Rintaro ficar tenso, mas, se percebeu, não demonstrou.

— Peço desculpas pelo incômodo que possa ter causado aos meus convidados da Livraria Natsuki.

— Você conhece a Livraria Natsuki?

— Claro que sim — disse ele, acariciando o queixo estreito. — É claro que é uma velha livraria de segunda mão, estagnada e presa ao passado. Você deve ter pilhas de livros antiquados, complicados e impossíveis de vender por toda parte. Eu os invejo. Parece que administrar aquela loja é mamão com açúcar, sem quaisquer pressões ou responsabilidades. — O presidente abriu um grande sorriso para eles.

Foi um ataque surpresa, uma declaração de guerra. Sayo estremeceu, mas Rintaro não se intimidou. Do momento em que colocara os olhos nele, sabia que havia algo incômodo naquele homem. Talvez o gato malhado soubesse de algo.

O presidente continuou, inabalável:

— Fiquei fascinado ao saber que receberia visitantes dessa livraria velha e antiquada. Estou curioso para descobrir que tipo de delírios inconsequentes pode ter para compartilhar comigo.

— Talvez você queira repensar a decoração do seu escritório.

— Decoração? — perguntou o presidente. Quando ele disse "delírios inconsequentes", não esperava comentários provocativos.

— Isso é um escritório ou uma cobertura? — Rintaro continuou. — Esses lustres são tão brilhantes que dariam dor de cabeça em qualquer um, e este tapete é tão exagerado no luxo que chega a ser cafona. Tanto mau gosto. A menos que isso tudo seja uma grande piada, sugiro redecorar o mais rápido possível.

As sobrancelhas do presidente moveram-se ligeiramente, mas seu sorriso não vacilou.

Rintaro não tinha terminado:

— Me desculpe se pareço rude, mas meu avô sempre me ensinou que é educado avisar uma pessoa quando o comportamento dela é inadequado, mesmo que seja preciso confrontá-la. E esta sala é tão feia que não aguento mais olhar pra ela.

— Ei, Natsuki... — Sayo interveio, apressada.

Rintaro finalmente parou de falar, pensando em onde tinha acabado de se meter. Essa agressividade não condizia com sua personalidade. Ele preferia muito mais uma abordagem cuidadosa e fundamentada, mesmo que significasse ficar só nos aspectos mais garantidos. Acima de tudo, valorizava a crítica moderada e construtiva. Mas o motivo dessa mudança de atitude estava claro para ele. Dessa vez, a Livraria Natsuki – a própria loja – estava sendo ridicularizada.

O velho presidente não se moveu por um instante e depois, finalmente, soltou um pequeno suspiro.

— Bem, parece que o julguei mal. Eu não tinha ideia de que havia um garoto com tamanha personalidade na Livraria Natsuki.

— Não sei se tenho personalidade. Sei que eu amo livros.

— Entendo.

O presidente acenou com a cabeça generosamente, mas pareceu pensar melhor. Ele balançou a cabeça.

— Você ama livros? — murmurou para si mesmo. — Isso é um problema.

Ele estendeu um braço magro em direção a um grande botão na mesa, apertou-o e, de repente, as cortinas vermelhas em três lados do escritório começaram a se abrir. A forte luz do sol invadiu o cômodo.

Os olhos de Rintaro demoraram um pouco para se ajustarem ao brilho, portanto ele não entendeu a situação toda imediatamente. Logo conseguiu ver que estavam em uma sala no topo de um arranha-céu com janelas em três lados. Para além das janelas, havia diversos outros arranha-céus semelhantes. Alguma coisa branca caía das janelas dos edifícios circundantes e flutuava no chão como flocos de neve.

Conforme os olhos de Rintaro se ajustaram à luz, ele ouviu um breve grito vindo de Sayo. Então, quando também entendeu o que era aquilo que estava vendo, engoliu em seco. O que parecia neve – cascateando de todas as janelas, pairando por um momento no ar e, depois, caindo no chão –, cada um daqueles objetos, era um livro.

Alguém estava jogando livros pelas janelas. Eles eram levados pelo vento e se espalhavam por toda parte. Os edifícios pareciam estar sob uma forte nevasca.

Mas não era apenas o céu que estava cheio de livros. Quando Rintaro e Sayo olharam para baixo da janela, a imagem era impressionante. Lá no chão estavam dezenas, centenas de milhares de livros empilhados – um verdadeiro terreno baldio de impressos.

Enquanto olharam, atordoados, perceberam que alguns dos livros estavam passando tão perto da janela que, se estendessem a mão, poderiam tocá-los. Foi quando se deram conta de que alguns dos livros que caíam eram jogados do prédio em que os dois estavam.

— Sabem o que é isso? — perguntou o presidente, com um sorriso malicioso.

— Não exatamente, mas sei que não gosto de ver — respondeu Rintaro.

— Essa é a nova realidade.

O coração de Rintaro parou.

— Este edifício abriga uma das maiores editoras do nosso tempo. Todos os dias publicamos tantos livros quanto estrelas no céu. Para as pessoas lá embaixo.

— Mas é como se você estivesse arremessando blocos de papel por nenhum outro motivo a não ser aumentar a quantidade de lixo.

— É assim que as coisas funcionam — disse o presidente com indiferença. — Somos uma grande editora multinacional. Todo dia, produzimos montanhas de livros e os vendemos em todo o mundo. Com os lucros que obtemos dessas vendas, custeamos a produção de mais livros, que depois vendemos. Vendemos mais e mais, e nossos lucros sempre aumentam.

O presidente agitou a mão em um movimento que imitava os livros que passavam pela janela. Os anéis de ouro que adornavam seus dedos brilharam sob a luz do sol.

Rintaro tentou o máximo que pôde compreender a situação que o presidente explicava, mas não era uma tarefa fácil. Em seguida, lembrou-se das pilhas de livros bagunçadas e desorganizadas que tinham visto no caminho. Essa paisagem bizarra e a imagem de milhares de livros caindo do céu diante de seus olhos, junto com a voz suave do presidente, tudo parecia estar prendendo seus pensamentos e arrastando-os para um pântano de confusão. Agora, ele entendia por que a mulher da recepção estava tão preocupada com o perigo de andar lá fora.

— Você só pode estar brincando — disse ele. — Livros não são feitos para serem jogados. São feitos para serem lidos.

— Você é tão ingênuo.

O presidente pegou um livro aleatório da mesa.

— Livros são bens descartáveis. É meu trabalho garantir que sejam consumidos da forma mais eficiente possível. Eu não poderia ter este emprego se fosse um leitor ávido. De qualquer modo...

Ele girou a cadeira preta de repente, abriu a janela mais próxima e jogou o livro que estava segurando para fora. O livro pairou no ar por um momento, como se houvesse algo de que, de repente, tivesse se lembrado, e logo desapareceu de vista.

— É isso que fazemos aqui.

Rintaro de repente entendeu o que o gato malhado quis dizer quando revelou que este adversário seria diferente dos dois primeiros. Os homens que conheceu nos outros dois labirintos, não importava quão bizarros fossem seus comportamentos, eram, no fundo, pessoas que amavam livros. Ao contrário, o homem diante deles não tinha o menor apego por livros. Ele os tratava como lixo e não se sentia nem mesmo um pouquinho mal com o que estava fazendo. Foi isso que o gato quis dizer quando falou que o homem era extremamente imprevisível.

— Natsuki, você tá bem? — Era a voz de Sayo.

Rintaro se virou e encontrou o olhar firme da amiga. Ele assentiu com a cabeça e voltou-se para o homem na cadeira.

— Eu vim até aqui hoje porque um amigo me pediu para resgatar alguns livros.

— Resgatar?

— Isso mesmo. Acho que isso quer dizer que eu tenho que parar vocês.

— Bom, que coisa estúpida de se dizer. Eu já te disse que este é o meu trabalho.

— Mas você está tratando os livros como se não fossem nada além de pedaços de papel. Se essa é a atitude das pessoas que produzem livros, então nada chegará até os leitores. O número daqueles que leem já está diminuindo. Se alguém na sua posição tem esse tipo de atitude, a quantidade de leitores só vai diminuir cada vez mais.

Rintaro apresentou seu melhor argumento, mas o presidente estava impassível. Sob as sobrancelhas brancas, seus olhos eram indecifráveis, e a ligeira curva de um sorriso nos lábios adicionava mais mistério ao semblante esquivo.

Depois de um instante, seus ombros estreitos vibraram bem levemente. Em seguida, as vibrações foram se transformando em um tremor mais forte e, por fim, o presidente explodiu em gargalhadas. Sua risada grave encheu a sala.

Enquanto Rintaro e Sayo o encaravam, o presidente pressionou a mão esquerda contra a boca, como se tentasse conter o riso. Ele bateu algumas vezes na mesa com os nós dos dedos da mão direita. Finalmente, começou a falar:

— Você é mesmo um idiota, não é? Completamente estúpido. — Mesmo enquanto caía na gargalhada, havia um tom afiado em suas palavras. — Não. Na verdade, não acho justo chamá-lo de idiota. Você está longe de ser o único que pensa assim. Esses equívocos são muito comuns hoje em dia.

— Que equívocos?

— O de achar que os livros não vendem. — O presidente riu mais uma vez, depois continuou: — Você está enganado se acha que os livros não vendem mais hoje em dia. Livros vendem muito bem. Na verdade, a Melhores Livros do Mundo é extremamente bem-sucedida.

— Você tá sendo sarcástico?

— De jeito nenhum. É fato. Vender livros é muito fácil mesmo; contanto que você tenha em mente uma regra básica.

Divertindo-se, o presidente olhou para Rintaro. Estava claro que aquilo tudo era muito engraçado para ele. Como se fosse revelar o segredo de um incrível truque de mágica, baixou a voz em um sussurro:

— Vender livros que vendem, essa é a regra.

Uma frase curiosa, de fato. Uma frase curiosa que soava bizarra.

— Isso mesmo — disse o presidente. — Aqui, na maior editora do mundo, não publicamos livros para informar ou ensinar as pessoas. Produzimos os livros que a sociedade quer. Não nos importamos com questões como mensagens que precisam ser transmitidas, ou filosofia que precisa ser passada para a geração seguinte. Não nos importamos com qualquer realidade dura ou verdades difíceis. A sociedade não está interessada em coisas assim. Os editores não precisam se preocupar com o que deveriam dizer ao mundo; precisam entender o que o mundo quer ouvir.

— É perigoso ser assim tão cínico.

— E você é muito sagaz para ter percebido que isso é cinismo. — Rindo, o presidente tirou um cigarro de um maço sobre a mesa e acendeu-o devagar. — E, no entanto, essa é a realidade. É assim que conseguimos obter lucro constante.

Por trás da onda arroxeada de fumaça, livros e mais livros despencavam no chão.

— Se você cresceu no maravilhoso mundo da Livraria Natsuki, então deve saber que, no mundo de hoje, as pessoas não têm tempo ou dinheiro para gastar com "grandes obras-primas literárias" ou quaisquer livros longos demais. Mas, ao mesmo tempo, a leitura ainda está na moda. Ela oferece status. Todo mundo quer se gabar de ter lido um livro difícil. Por isso, publicamos nossas obras pensando nas necessidades dessas pessoas. Em suma — ele esticou o pescoço para enfatizar seu ponto —, resumos baratos e versões reduzidas vendem que é uma loucura.

Ele caiu na gargalhada, os ombros tremendo.

— Para os leitores que desejam um pouco de estimulação, a melhor maneira de fazer isso é com passagens pornográficas ou demonstrações gratuitas de violência. E, para quem não tem imaginação, acrescentar um simples "isso realmente aconteceu" resolve o problema. O alcance aumenta em vários pontos percentuais, e as vendas disparam.

Rintaro sentiu-se enjoado.

— E para aqueles que nunca pegam um livro pra ler, se não conseguem ou não se dão o trabalho de ler, produzimos informações organizadas em listas. Títulos como *Cinco requisitos básicos para o sucesso* ou *Oito técnicas para prosperar na vida*. As pessoas nunca percebem que estão sendo enganadas e que livros como esses jamais vão ajudá-las. Mas o importante é que cumpro meu objetivo, o de vender livros.

— Pare com isso.

— Não. Não terminei ainda.

Não havia emoção nenhuma na voz do presidente. A temperatura da sala despencou de repente. Rintaro sentiu um arrepio, embora sua testa tenha começado a suar.

O presidente ajustou sua cadeira para observar melhor Rintaro.

— Há uma grande diferença entre os livros que você valoriza e aqueles que o resto da sociedade deseja — disse ele, com pena nos olhos. — Pensa bem: você já teve, em algum momento, clientes fiéis da Livraria Natsuki? Quem ainda lê Proust ou Romain Rolland hoje em dia? Quem torraria seu suado dinheiro para comprar livros como esses? Você sabe o que a maioria dos leitores procura em um livro? Algo fácil, barato e emocionante. Não temos escolha a não ser nos adaptarmos para atender aos gostos desses leitores.

— Isso é... Então, nesse caso... — Rintaro procurou desesperadamente pelas palavras certas. — Os livros estão ficando cada vez mais finos.

— Mais finos? É um jeito interessante de definir. Mas não ajuda na venda de livros.

— Não se trata apenas de vendas. Ao menos meu avô acreditava no que fazia e manteve-se fiel às próprias crenças até o fim.

— Então você quer dizer que devemos estocar livros que não vendem e morrer junto com as grandes obras da literatura mundial? Como fez a Livraria Natsuki?

Rintaro encarou o presidente. Encarar era a única coisa que ele podia fazer.

— Ninguém está interessado na verdade, na ética ou na filosofia. As pessoas estão cansadas com o dia a dia. Tudo o que querem é estímulo ou cura. A única maneira de sobreviverem em um mundo assim é se os livros se adaptarem. Quer saber? As vendas são tudo. Não importa quão boa seja uma obra-prima; se ninguém compra, ela desaparece.

Rintaro sentiu-se um pouco tonto e colocou a mão na testa. Tocou a borda dos óculos, mas, como de costume, nenhum pensamento coerente passou ali. As palavras que estava ouvindo iam muito além de qualquer coisa que poderia ter imaginado. Ele sabia que poderia falar o quanto quisesse sobre o valor e o apelo dos livros. Mas, para o homem diante dele, os livros tinham um valor completamente diferente – um valor que Rintaro nunca tinha levado em consideração. Esse homem vivia em um mundo muito diferente.

— Está tudo bem, Natsuki. — Era a voz de Sayo.

Ele sentiu a forte presença dela ao seu lado. Sayo se aproximou e agarrou com firmeza o braço esquerdo dele.

— Você está bem.

— Mas não me sinto bem.

— Mas você está.

Ela olhou para o homem atrás da mesa.

— Tudo o que ele está falando está errado. Tenho certeza disso.

— Sim, mas o raciocínio dele faz sentido.

— Não se trata de fazer sentido — falou ela, decidida. — Eu não entendo nada disso. O que posso dizer é que parece que nem ele mesmo acredita em metade das coisas que está lhe dizendo.

Rintaro virou a cabeça para olhar para Sayo. E, nesse momento, lembrou-se das palavras do gato malhado: "Este labirinto funciona com o poder da verdade. [...] Mas nem tudo o que ele diz é verdade [...] Tem que haver uma mentira em algum lugar ali".

*Sim, é isso*, pensou Rintaro. Estava pasmo com quão extremas as palavras do homem haviam sido. Mas algo sobre elas não fazia sentido.

Mais uma vez, Rintaro estendeu a mão e tocou o aro dos óculos.

— Pensar não vai te ajudar, Rintaro Natsuki — disse o presidente, sereno, as palavras acompanhadas por uma nuvem espessa de fumaça de cigarro. — Você ainda é jovem. Existem fatos da vida que você não quer aceitar. Eu, por outro lado, estou bem familiarizado com o jeito como o mundo funciona. O que você sente por um livro não determina seu valor, mas, sim, o número de cópias em circulação. Em outras palavras, na nossa sociedade, é a moeda que decide o valor. Aqueles que se esquecem dessa regra e tentam abraçar um ideal não têm escolha a não ser abandonar a sociedade. É realmente uma pena.

O presidente falava como um pastor: os discursos pareciam sermões. Foi uma tentativa descarada de fazer Rintaro duvidar de si mesmo para confundir seus pensamentos. No entanto, o aperto de Sayo em seu braço era firme, como se ela quisesse oferecer apoio.

Enquanto o presidente ria baixinho para si mesmo, os pensamentos de Rintaro estavam frenéticos.

Ele pensou e pensou e finalmente deu um passo à frente. A risada do presidente e a fumaça espessa de seu cigarro formavam uma espécie de névoa no ar, mas Rintaro abriu caminho. Ele não vacilou.

— É verdade que a Livraria Natsuki não é uma livraria de segunda mão comum.

Rintaro olhou para o adversário inabalável por trás de sua grande mesa.

— Não temos muitos clientes e não vendemos muitos livros. Mas é um lugar muito especial.

— Sim, existe uma palavra que define isso: "desesperança" — disse o presidente, sacudindo a cabeça. — E é a palavra perfeita para o meu atual estado de espírito. De verdade, não dou a mínima para os seus sentimentos.

— Mas não são só meus. Cada cliente que entrou na loja sentiu a mesma coisa que eu. Aquela pequena livraria está repleta dos pensamentos e sentimentos do meu avô, e qualquer um que entre por aquela porta consegue senti-los. E é isso que a torna especial.

— Bem, isso é uma ideia bastante vaga. Ninguém vai se convencer com um argumento abstrato como esse. Você se importaria de especificar um pouco mais os *pensamentos* e *sentimentos* do seu avô?

— Não preciso te explicar nada. E eu sei porque sou igual a você.

As palavras de Rintaro, proferidas com muita calma, foram poderosas o suficiente para deixar o presidente sem reação. Ele não se moveu por um bom tempo. A nuvem de fumaça que subiu de seus dedos se estreitava aos poucos até, enfim, se extinguir.

Eventualmente, estreitou os olhos e abriu a boca.

— Não sei o que você quer dizer com isso.

— Essa é outra mentira.

As sobrancelhas do presidente se contraíram.

— Você acabou de dizer que os livros são bens descartáveis. Você disse que é impossível fazer o seu trabalho se ama livros.

— Correto.

— Isso é mentira. — A voz de Rintaro foi contundente.

Uma linha de cinzas caiu do cigarro do presidente.

— Você disse há pouco que os livros precisam se adaptar para sobreviver. Se você realmente só visse os livros como mercadorias, nunca teria dito isso.

— Hum. Essa é uma linha de raciocínio bastante questionável.

— É tudo uma questão de nuance. Se realmente pensasse nos livros como pedaços de papel, então deveria desistir desse trabalho. Mas você está comprometido em mudar os livros para que sobrevivam, o que significa que gosta deles. É por isso que ainda está aí. Igual ao meu avô...

A voz de Rintaro foi sumindo e se transformando em um silêncio pesado. A sala permaneceu quieta, exceto pelo som ocasional de um livro caindo pela janela. Mas já era menos do que caía antes.

O presidente olhou para Rintaro por um momento, depois deu meia-volta na cadeira para observar a paisagem decadente atrás das janelas.

— Não faz mais diferença. Não importa o que eu penso, temos que enfrentar a realidade. Os livros estão ficando cada vez mais finos, e as pessoas estão recorrendo a eles. Por isso, precisam atender às demandas das massas. Não se pode parar o ciclo. E a Livraria Natsuki é prova disso! Não importa quão especial ou acolhedor for o ambiente, o número de clientes não aumentará. Estou errado?

— Isso não é verdade!

A voz de Sayo surgiu no ar abafado do cômodo como uma brisa fresca.

— A base de clientes da Livraria Natsuki não está desaparecendo. Por exemplo, tem o Akiba... ele não é a pessoa mais agradável do mundo, mas é extremamente inteligente. E eu. Eu também me tornei uma cliente fiel.

Não era bem algo que merecesse bater no peito e gritar aos quatro cantos do mundo, mas Sayo ficou ali, falando com um orgulho inabalável.

— Tudo bem — disse o presidente —, mas essa quantidade de vendas não é lucrativa de jeito nenhum. Se você não está vendendo, não tem sentido. As livrarias não são instituições de caridade.

— Bem, então — Rintaro interrompeu —, quanto lucro é necessário exatamente?

— Quanto?

Os olhos do presidente se arregalaram com a pergunta inesperada.

— Meu avô costumava dizer que, uma vez que você começa a pensar em dinheiro, não há fim. Se tem um milhão de ienes, você quer dois. Se tem cem milhões, você quer duzentos. Então é melhor parar de focar o dinheiro e, em vez disso, falar sobre os livros que lemos hoje em dia. Como você, eu acredito que as livrarias precisam ter lucro. Mas eu sei que existem coisas tão importantes quanto ganhar dinheiro.

Rintaro não estava mais tentando persuadir ou convencê-lo com um argumento. Ele só estava falando com o coração.

— Se você produz livros, não deve se importar com "bens descartáveis", independentemente de as coisas não acontecerem do jeito que você esperava. Você deve gritar para quem puder ouvir: "Eu amo livros", não concorda?

O presidente franziu os olhos como se estivesse atordoado pela luz.

— Mesmo se eu fizesse isso, faria alguma diferença?

— Claro que sim — respondeu Rintaro, rápido como um raio.

— Mas se eu admitir que amo livros, como poderei publicar aqueles de que não gosto?

Os olhos do presidente se arregalaram um pouco, e os cantos de sua boca se contraíram.

Demorou um pouco para Rintaro e Sayo perceberem que ele estava sorrindo. Também notaram que, em algum momento, os livros pararam de cair. Tudo estava quieto. O tempo parou.

— Pensando desse jeito, você vai ter um caminho difícil pela frente — enfim disse o presidente, olhando bem nos olhos de Rintaro.

Rintaro não desviou o olhar.

— Ficar aí atrás dessa mesa chamando os livros de bens descartáveis, eu diria que esse é um caminho difícil.

— É mesmo?

Enquanto o presidente murmurava essas palavras, a porta se abriu e a mulher da recepção entrou.

— Já era hora — disse ela.

Mas o presidente levantou a mão para interrompê-la. Ela, então, retirou-se novamente.

O presidente parou por um momento, depois indicou a porta pela qual a mulher havia acabado de sair. Ela se abriu, revelando o tapete vermelho que levava de volta ao elevador.

Eles não trocaram mais nenhuma palavra. Rintaro olhou para Sayo, e os dois se viraram para sair. Eles mal tinham dado alguns passos quando o presidente falou:

— Desejo boa sorte.

Rintaro se virou para olhar para o homem atrás da mesa. Era difícil identificar qualquer emoção nos olhos dele. Ele esperou um pouco.

— Pra você também.

O presidente não devia estar esperando essa resposta. Seus olhos se arregalaram e, dessa vez, os cantos da boca estavam bem curvados para cima. Rintaro viu um sorriso completamente inesperado.

— Obrigado.

O gato malhado, caminhando em silêncio pelos corredores de livros, olhou por cima do ombro para Rintaro e Sayo.

— Parece que você se saiu bem.

— Eu não sei, mas o presidente sorriu quando se despediu de nós — disse Rintaro.

— Já é o suficiente. — O gato assentiu com a cabeça.

A luz era azulada, com incontáveis livros preenchendo o espaço de ambos os lados e lâmpadas penduradas no alto. A cena bizarra já tinha se tornado familiar para eles. Estavam a caminho de casa, pelo estranho corredor de livros, guiados pelo gato malhado.

Após as breves palavras de agradecimento, o gato continuou em silêncio. O próprio fato de que não estava falando já era um enorme ruído.

— Então você disse que esse foi o último labirinto... — arriscou Rintaro.

— Isso mesmo — disse o gato ao parar.

Estavam de volta à Livraria Natsuki. Quase como se toda a longa viagem tivesse sido uma ilusão, o caminho de volta foi breve e tranquilo.

Depois de conduzi-los ao coração da loja, o gato deu uma rápida meia-volta e voltou a caminhar pelo corredor.

Nem se preocupou em se despedir.

— Você tá indo embora? — Rintaro falou.

— Sim, preciso ir.

O gato se virou e fez uma demorada reverência.

— Graças a você, muitos, muitos livros foram libertados. Fico muito grato.

O gato permaneceu naquela pose humilde, a cabeça baixa, iluminado pela luz branco-azulada. Foi uma imagem estranha, mas a emoção que o gato expressou foi sincera.

— Você derrotou os habitantes de três labirintos com seu próprio poder. Meu trabalho aqui acabou.

Sayo se juntou a eles.

— O que você quer dizer com "acabou"? Não vamos ver você de novo?

— Não, não podemos nos encontrar. Não há mais necessidade.

— Mas... — Sayo começou, voltando-se para Rintaro, confusa.

Rintaro soltou um suspiro profundo.

— Se estamos mesmo nos despedindo, então há algo que quero dizer.

— Vá em frente — pediu o gato. — Diga o que quiser. Uma reclamação sequer e vou embora sem olhar pra trás.

— Eu só quero agradecer. É só isso.

Rintaro fez uma reverência.

Tanto Sayo quanto o gato malhado pareceram surpresos.

— Espere aí, isso foi sarcasmo?

— Claro que não — disse Rintaro, com um sorriso irônico no rosto. — Não sou tão estúpido quanto você acha, sabia?

— Não é tão estúpido quanto eu acho...? — repetiu o gato, olhando para Rintaro, desconfiado.

— Você apareceu aqui dizendo que precisava libertar alguns livros e que necessitava da minha ajuda. Mas acho que seu objetivo era outro.

O gato não se mexeu; só olhou fixamente para Rintaro com seus olhos de jade.

— No dia em que perdi meu avô, eu não dava a mínima para o que aconteceria comigo. Minha mãe e meu pai se foram, e agora eu também perdi o vovô. Foi tudo tão injusto e eu estava tão cansado de tudo, aí de repente você apareceu.

Ele coçou a cabeça, um pouco tímido.

— Se você não tivesse aparecido, eu com certeza não estaria aqui com um sorriso no rosto. Eu deveria te ajudar, mas foi você quem me ajudou. — Rintaro olhou para o gato e respirou fundo antes continuar: — Eu me tranquei na loja, mas você me forçou a sair. Obrigado.

— Não é um problema se trancar na livraria — disse o gato em sua voz grave e profunda. — O que nos preocupou mais foi que você se isolou na sua concha.

— Minha concha...

— Por favor, saia dela — o gato falou baixinho, mas sua voz ecoou na boca do estômago de Rintaro. — Não ceda à solidão. Você não está sozinho. Você tem muitos amigos que se preocupam com você.

Suas palavras de despedida foram sinceras e encorajadoras. Rintaro lutou contra as perguntas que lhe vinham à mente e olhou para trás em silêncio.

Só alguns dias haviam se passado desde que seu avô tinha falecido e, graças a esse gato estranho, ele foi capaz de encontrar alguma luz na escuridão de seu sofrimento. Esse foi o verdadeiro presente do gato.

— Obrigado — repetiu Rintaro.

— Que educado — comentou o gato com uma risadinha.

O gato deu um último sorriso, curvou-se com graça e, em seguida, esgueirou-se pelo corredor da livraria. Conforme ia sendo envolvido pela luz, foi desaparecendo. Sayo e Rintaro viram-no desaparecer sem olhar para trás.

A imagem do gato se dissolveu na suave luz azul e foi substituída pela velha parede de madeira dos fundos da livraria.

Embora não houvesse nenhum cliente à vista, a campainha tocou uma vez, forte e perfeitamente audível.

capítulo 4

# O LABIRINTO FINAL

Rintaro tombou o bule branco e, no mesmo instante, o aroma de chá Assam subiu pela velha xícara de chá Wedgwood. Ele acrescentou um único cubo de açúcar e bastante leite, depois pegou uma colher de prata e mexeu com calma, observando o respingo de leite rodopiar e, aos poucos, ser absorvido pelo chá. E assentiu, satisfeito.

— Eu sou muito bom nisso.

Em preparar chá, claro.

Era costume do avô preparar para si uma xícara de chá depois de limpar a livraria todas as manhãs. Rintaro vinha seguindo a mesma rotina na última semana e começava a se sentir muito confortável.

— Rin-chan!

A voz estridente veio da porta. Rintaro ergueu os olhos para ver o rosto redondo e amigável da tia.

— É dia de mudança! Tudo pronto?

*Ainda me chamando de Rin-chan*, ele pensou. Com um sorriso, largou a xícara e se dirigiu à porta.

Trajando um avental branco, a tia de Rintaro parecia mais acolhedora do que nunca; ela devia ter mais de cinquenta anos, mas seu ar e maneirismos eram parecidos com os de uma mulher mais jovem.

Lá fora o céu estava nublado, porém, de alguma forma, estava claro, não apenas em contraste com a loja mal iluminada, mas também porque a tia de Rintaro sempre conseguia trazer consigo uma energia calorosa que aquecia qualquer frio.

— O caminhão de mudança está previsto para chegar à tarde, tia?

— Ai, pare com isso, Rin-chan — ela respondeu. — Quando você fala desse jeito formal, meus ombros ficam rígidos.

Rintaro viu o Fiat 500 da tia estacionado do lado de fora. A imagem dela naquele carro minúsculo o fez sorrir.

— Vou às compras. Você quer alguma coisa?

Eles saíram juntos. Ao entrar no carro, ela acrescentou:

— Estarei de volta ao meio-dia. Não se preocupe, trago almoço pra você. Esteja pronto, sim?

Rintaro sorriu e assentiu com a cabeça para a rápida sucessão de afirmações. Mas, enquanto se preparava para ir embora, ela de repente parou e olhou para ele.

— Tem alguma coisa diferente em você, Rin-chan. Sabe, eu estava muito preocupada quando te vi no velório. Parecia que você estava prestes a desaparecer. Mas você é mais forte do que eu pensava.

— Estou tentando — disse Rintaro, com a expressão mais alegre que conseguiu formar. — Não estou cem por cento, mas estou tão bem quanto possível.

A tia sorriu; de repente, olhou para o céu e exclamou:

— Ah!

Rintaro seguiu seu olhar e abriu os olhos.

— Está nevando — disse ela.

Flocos de neve brancos flutuaram ao redor deles. Não havia luz do sol, mas os flocos que refletiam a claridade faziam tudo parecer brilhante. As pessoas que passavam por ali paravam para olhar o céu.

— Eu adoro quando neva assim. É tão emocionante.

A tia de Rintaro sempre falava desse jeito espontâneo. Ela se virou para Rintaro com a voz alta e feminina:

— Vou comprar um bolo para você hoje à noite, Rin-chan.

— Um bolo? Por quê?

— Bem, é véspera de Natal, não é?

Rintaro ficou genuinamente surpreso. Desde que o avô falecera, ele havia perdido a noção do tempo. Olhou em volta para a rua e percebeu que as árvores e os beirais das casas estavam todos enfeitados com luzes coloridas. Era como se todas as pessoas e as casas em que viviam estivessem animadas, preparando-se para o Natal, enquanto Rintaro, na Livraria Natsuki, abstinha-se.

— Ou você estava planejando passar a noite com aquela sua adorável namorada?

— Eu não tenho namorada.

— Estou brincando!

Ela acelerou o carro.

— Até logo!

Com mais uma risada alegre, foi embora.

Rintaro olhou para cima e para baixo na rua. Motos de serviços de entrega passavam por grupos de alunos do ensino médio que iam rumo às atividades do dia. Ele não tinha nenhuma memória afetiva em relação à véspera de Natal, mas se emocionou ao perceber que seria a última vez em que desfrutaria daquele cenário. Mesmo a neve caindo parecia ter um significado. Ele ficou ali parado por um tempo enquanto absorvia tudo.

Apenas dez dias tinham se passado desde a morte do avô, um curto período que pareceu longo para Rintaro por causa de todos os eventos estranhos que haviam acontecido com ele. E, de todos esses eventos, a única coisa que ficou em sua mente foi a forma como o gato malhado sorriu para ele antes de partir para sempre.

Fazia três dias desde que tinha visto aquelas listras de tigre fofinhas. Desde então, os dias passaram voando enquanto se preparava para a mudança. O gato não apareceu de novo, e a parede dos fundos da livraria permaneceu exatamente como sempre fora.

Sayo passava por lá todos os dias, tanto no caminho para a escola, para tomar uma xícara de chá com Rintaro, como para discutir o romance de Stendhal que estava lendo. Mas ele presumiu que ela estava mais curiosa com o paradeiro do gato. E, claro, Rintaro estaria mentindo se dissesse que não estava curioso também.

Mas o tempo é impiedoso.

Isso era algo que Rintaro entendia muito bem. Não importava quão triste, doloroso ou absurdo fosse tudo que tinha acontecido, o tempo se recusou a parar e esperar por ele. De alguma forma, foi levado até aquele dia sem se dar conta.

Eventualmente, Rintaro se recompôs e voltou à livraria. Ele começou a guardar as coisas do chá, mas, de repente, parou.

A parte dos fundos da livraria estava mais uma vez coberta por uma luz azulada. E bem ali, de costas para a luz, estava um grande gato malhado.

— Já faz um tempo que não nos vemos, Sr. Proprietário.

A surpresa de Rintaro deu lugar a um sorriso irônico.

— Só faz três dias.

— Sério? É mesmo?

— Devo te dar as boas-vindas?

— Não há necessidade de cerimônia.

O gato desviou os olhos de jade da luz azulada.

— Eu preciso da sua ajuda.

Atrás do gato, a luz começou a se intensificar, revelando enormes corredores de livros...

— Só mais uma vez.

Como sempre, a fala e as ações do gato foram abruptas, sem saudações ou explicações. Não havia nenhuma celebração no reencontro dos dois.

— Achei que já tivéssemos nos despedido.

— As coisas mudaram. Temos que entrar em um labirinto de novo. — O tom de voz do gato estava indiferente, como sempre, mas havia uma tensão por trás dele que não existia antes.

— O que está acontecendo?

— Um quarto labirinto se materializou.

— Um quarto labirinto?

— Sim, foi um imprevisto. Vou precisar da sua ajuda de novo. Mas... — Seu tom mudou. — Nosso próximo adversário está em outro nível. É algo totalmente novo.

A voz do gato era direta e impiedosa como sempre, mas faltou a sagacidade de costume. Era um sinal de que algo estava errado.

— E você tem certeza de que quer a minha ajuda?

— Tem que ser você. Eles pediram que fosse você.

— O oponente pediu?

— É complicado. Desta vez, há uma possibilidade real de nunca voltar. Mas você vai resolver isso de alguma forma. — O gato quase soou como se estivesse implorando.

— Entendi — disse Rintaro. — Vamos lá.

Sua resposta pegou o gato de surpresa. Ele demorou um pouco para falar. Seus olhos verdes fitaram o menino.

— Você me ouviu, certo? Eu disse que era perigoso.

— Eu também ouvi você dizer que seria diferente de tudo o que veio antes... e que podemos não conseguir voltar para casa.

— E ainda assim você está preparado para ir?

— Você está em apuros. Isso é o bastante para mim.

O gato malhado parecia ter acabado de ver um fantasma em plena luz do dia.

— Está se sentindo bem, Sr. Proprietário?

— Vou com você.

— Mas...

— Eu queria te agradecer. Quer dizer, eu te disse isso, mas não fiz nada para retribuir sua bondade. Esta é a oportunidade perfeita.

Houve uma breve pausa enquanto o gato malhado olhava para Rintaro por algum tempo, então ele sacudiu a cabeça com mais emoção do que nunca.

— Agradeço a ajuda.

— Só... — acrescentou Rintaro — ... quero ir agora mesmo.

Ele correu para a porta da frente da loja, fechando-a e travando-a.

— Essa é a hora que Sayo chega. Se ela nos ouvir conversando, vai querer vir conosco. Não quero que se envolva. — Rintaro sorriu. — Especialmente se o perigo for maior.

O gato aceitou a preocupação do garoto em silêncio, depois olhou para ele com uma expressão bastante severa.

— Infelizmente, ela já está envolvida.

No silêncio constrangedor que se seguiu, Rintaro parou o que estava fazendo e ergueu uma sobrancelha. Um ciclista tocou o sino ao passar em frente à loja. O gato começou a falar.

— Sayo Yuzuki foi levada. Ela está trancada na parte mais profunda do labirinto.

Rintaro congelou.

— Você me ouviu, Sr. Proprietário?

— Não entendo...

— O que você não entende? Sayo foi sequestrada. Nossa última missão é mais do que salvar livros. — O gato olhou atentamente para Rintaro. — Estamos em uma missão para resgatar sua amiga.

Rintaro desviou os olhos para a passagem dos fundos da loja. Um corredor longo e reto, lotado de livros, iluminado por aquele brilho azul misterioso.

— Por quê?

De dentro de Rintaro, surgiu um pavor que o deixou enjoado.

— Você não vai para a escola, não é?

Dois dias antes, no início da manhã, Sayo dissera aquelas palavras para ele. Aparecera, como de costume, a caminho do treino. Ficou irritada ao ver Rintaro mais uma vez matando aula, sentado no caixa com a xícara de chá matinal.

Eles conversaram um pouco, mas Rintaro não conseguia se lembrar do que haviam falado. Provavelmente, só jogaram conversa fora. Livros, chá e um pouco sobre o gato. Depois, enquanto saía para o treino, ela parou.

— Você não pode ficar trancado aqui para sempre. Eu sei que tem muitas coisas que não valem o esforço, mas esta é a sua vida...

Sayo parou e continuou com uma voz mais suave.

— Você precisa manter a cabeça erguida e dar um passo à frente por conta própria.

Era o conselho típico de uma representante de classe, mas ele também sabia que era a maneira de Sayo reconfortá-lo a respeito da mudança.

Rintaro ficou feliz com o incentivo.

Ele estreitou os olhos. Marcada neles, estava a imagem de sua mão acenando, despedindo-se dela naquela manhã.

— É estranho — começou ele, enquanto seguia o gato pelo longo corredor de livros. — Eu nunca me preocupei tanto com outra pessoa na minha vida.

O gato lançou um olhar, mas não disse nada.

O corredor parecia mais comprido do que da última vez. Era difícil dizer se era apenas a imaginação de Rintaro ou se era algo diferente.

— Por que levaram a Sayo? Se me queriam, por que não vieram me pegar?

— Não faço ideia — respondeu o gato, amargo. — Você vai ter que perguntar a eles. Acho que pensaram que o jeito de chegar até você seria pela menina.

— Do que você está falando?

— É óbvio, não é? Essa menina se preocupa com você — disse o gato, olhando fixo para a frente. — Ela está sempre preocupada com o colega de classe tristonho.

— É porque Sayo é responsável. Ela tem que ser, ela é a representante da classe. E é uma boa vizinha...

— Não sei se isso vai te ajudar — o gato interrompeu —, mas eu posso te dizer uma coisa. Quando essa garota foi pela primeira vez à livraria, eu disse a você que apenas certas pessoas conseguiam me ver, e em condições especiais. Eu não estava falando de poderes sobrenaturais ou qualquer coisa assim.

Então o gato parou e virou-se para Rintaro.

— Basta ter compaixão.

— Compaixão? — Rintaro repetiu, pasmo.

— A capacidade de expressar palavras simpáticas superficiais em uma voz doce não faz de alguém uma pessoa carinhosa e compassiva. O que é importante é a capacidade de ter empatia por outro ser humano, ser capaz de sentir sua dor, para caminhar lado a lado em seu sofrimento.

O gato malhado voltou a andar e Rintaro correu, como de costume, para acompanhar o ritmo.

— Isso não é um poder especial ou incomum — o gato continuou. — É uma habilidade natural que todo mundo possui. O problema é que a maioria das pessoas perdeu contato com esse lado na agitação do dia a dia. Como você também perdeu.

Rintaro estava sem palavras.

— Em nossas rotinas sufocantes, estamos todos tão ocupados com nós mesmos que paramos de pensar nos outros. Quando uma pessoa perde sua essência, ela não consegue sentir a dor de outra. Mente, machuca os outros, usa as pessoas mais fracas como degraus para progredir e para de sentir qualquer coisa. O mundo está cheio dessas pessoas.

Como que reagindo à mudança de tom do gato, o corredor também começou a mudar. Aos poucos, as estantes de madeira simples que revestiam as paredes se transformaram em pesadas prateleiras embutidas de carvalho, e o próprio corredor começou a se expandir: o teto subiu e as paredes recuaram até que ficassem largas o suficiente para cinco ou seis pessoas andarem lado a lado. As lâmpadas do teto desapareceram e o lugar foi iluminado por uma fileira de velas colocadas em intervalos no chão. No centro, um menino e um gato caminharam em silêncio por um tempo.

— E, ainda assim, em um mundo tão aparentemente além da redenção, às vezes aparece alguém como Sayo. É impossível enganar uma pessoa com um coração como o dela. Aquela garota não estava te ajudando por algum dever. Ela estava mesmo preocupada com o seu bem-estar.

As chamas das velas balançavam, embora não houvesse nenhum vento.

Agora que o gato havia falado, Rintaro percebia a verdade. Pensou em todas as vezes que Sayo tinha voltado à Livraria Natsuki. De repente, cada cena ganhou um significado maior em sua mente.

— Se você está se preocupando com ela agora, significa que está encontrando seu próprio coração de novo. Você não está só pensando em si mesmo, mas sentindo compaixão pelos outros.

— Compaixão pelos outros...

— Essa sua amiga é boa demais para um molenga como você — disse o gato com uma pitada de deboche.

Rintaro ergueu os olhos. Bem acima, havia um teto abobadado de curva suave, belo e sereno como a clássica cúpula de uma velha igreja.

— Tem tanta coisa que eu acho que entendo, mas, na verdade, não... — disse Rintaro.

— O fato de você já ter consciência disso é o primeiro passo.

— Eu me sinto mesmo um pouco mais corajoso.

— Um pouco não será o bastante. — O gato baixou a voz. — O oponente final é realmente formidável.

O gato mal tinha acabado de falar e uma gigantesca porta de madeira dupla apareceu diante deles. Parecia muito pesada para os braços frágeis de Rintaro, mas, quando se aproximaram, ela começou a se abrir.

Ambos os lados se abriram devagar e revelaram uma enorme extensão de grama bem verde. Árvores frondosas se estendiam em direção ao céu e fontes brancas pontilhavam a paisagem. Cada fonte era adornada por estátuas, e as sebes bem aparadas contrastavam de modo impressionante com as pedras geométricas do pavimento.

Rintaro e o gato estavam em um amplo pátio com um telhado de varanda sobre suas cabeças, olhando para toda a paisagem. Em cada um dos lados, um caminho pavimentado com pedras levava ao jardim. Parecia que tinham caído no terreno de uma enorme mansão medieval em estilo ocidental.

— Um design bastante elaborado — o gato murmurou, enquanto o som de um chocalho vinha de sua direita.

Eles olharam e viram se aproximar uma carruagem puxada por dois cavalos.

A carruagem parou diante deles, e o cocheiro, já de idade, desceu do banco do motorista. Sem falar nada, curvou-se para os dois e abriu a porta da carruagem.

— Presumo que você queira que entremos — comentou o gato, saltando direto sem esperar uma resposta.

O motorista permaneceu com a cabeça baixa até que Rintaro seguisse.

O interior era surpreendentemente espaçoso e estofado em veludo vermelho. Rintaro e o gato sentaram-se de frente um para o outro.

A porta se fechou com um estalo e, depois de uma pausa momentânea, começou a se mover.

— O que é tudo isso? — disse Rintaro.

— Acho que é tudo para te dar as boas-vindas.

— Não sei de ninguém que me receberia dessa forma.

— Mesmo que você não os conheça, eles com certeza conhecem você. Você é uma celebridade e tanto neste mundo.

— Neste mundo?

— E seu governante é um ser muito especial, com poderes incríveis.

— Uau, então eu deveria estar comovido por ter sido chamado aqui? Devo agradecê-los por sequestrarem minha amiga ou algo do tipo?

O gato deu uma risadinha.

— É uma boa maneira de ver. Lógica e razão nunca são as melhores armas em um mundo irracional.

— O humor é, certo?

Enquanto Rintaro falava, a carruagem balançou e ganhou velocidade. Eles estavam em uma estrada principal agora. Ele olhou para fora da janela e viu o vasto jardim passando por eles. Raios de sol, brisa, fontes jorrando água, tudo era agradável, mas, ao mesmo tempo, havia algo estranho. Rintaro não conseguia detectar nenhum sinal de vida – e não somente de vida humana. Não havia pássaros, nem borboletas, nem sinal de qualquer coisa que sustenta este mundo. Em outras palavras, não importava o quão lindo era o lugar, ele não era real.

— Esta será a última vez que falarei com você — disse o gato.

Rintaro desviou o olhar da paisagem para olhar o companheiro.

— Não é a primeira vez que ouço isso de você.

— Tente se concentrar em você.

Empoleirado no assento da carruagem, o gato voltou os olhos verde-jade para fitar os de Rintaro.

— Esta vez realmente será a última.

— Bem, tenho algumas perguntas antes de você ir.

O gato olhou para ele. Rintaro parou por um momento e riu sem jeito.

— Não tenho ideia de por onde começar.

A luz que caía em seu rosto foi aos poucos transformando os pelos do gato em um profundo tom de vinho. Fora da carruagem, a luz do dia rapidamente se transformava do crepúsculo à noite, e o interior do veículo começou a afundar na escuridão. Rintaro olhou para cima e viu que as estrelas já tinham começado a brilhar no céu noturno.

De repente, o gato falou:

— Os livros têm alma.

Seus belos olhos pareciam capturar a luz das estrelas, e elas também cintilavam na escuridão.

— Um livro que fica em uma estante nada mais é do que um bloco de papel. A menos que seja aberto, um livro poderoso ou com uma história épica é um mero pedaço de papel. Mas um livro que foi estimado e amado, cheio de pensamentos humanos, ganhou uma alma.

— Uma alma?

— Isso mesmo — respondeu o gato, enfático. — Nos dias de hoje, as pessoas raramente pegam os livros, muito menos os enchem com seus pensamentos. Os livros estão aos poucos perdendo as próprias almas. Mas ainda existem algumas pessoas, como você e seu avô, que amam livros com todas as forças. Você ouve de verdade a mensagem deles.

O gato virou a cabeça devagar e olhou para o céu estrelado.

— Você é um amigo realmente valioso para todos nós — acrescentou.

Foi uma coisa curiosa de se dizer, mas cada palavra alcançou o fundo do coração de Rintaro.

Os olhos do gato brilharam. Nobre, tão confiante que era quase arrogante, mas ainda assim lindo. Um gato incrível.

— Sabe, sinto como se o conhecesse há muito tempo — disse Rintaro de repente.

O gato não virou a cabeça, mas suas orelhas pontudas se contraíram como se para encorajar o menino a continuar.

— Muito tempo. Lá quando eu era um garotinho...

Rintaro olhou para o teto da carruagem como se procurasse algo na memória.

— Conheci você uma vez em uma história. Acho que foi uma que minha mãe leu pra mim.

— Livros têm alma — repetiu o gato. — Um livro querido sempre terá uma alma. Voltará para ajudar o leitor em tempos de crise.

A voz calma e moderada aqueceu o coração de Rintaro. Ele olhou e viu o gato sorrindo.

— Eu disse que você não estava sozinho.

A carruagem que transportava os dois amigos ia correndo pela noite. Através das janelas, a luz das estrelas recaía sobre o veludo do interior. Iluminado pela luz pálida, o sorriso do gato abruptamente desbotou e seus olhos piscaram.

— No entanto, um livro com alma nem sempre é um aliado.

Rintaro franziu a testa.

— Isso tem a ver com a Sayo?

— Estou falando do labirinto final.

O gato voltou-se para a janela. Rintaro seguiu seu olhar. As estrelas no céu brilhavam forte e estavam lindas, mas pareciam dispostas de forma completamente aleatória. Ele não conseguia distinguir nenhuma constelação.

— Assim como a alma de uma pessoa pode ser distorcida pelo sofrimento, a alma de um livro também pode. Um livro que está nas mãos de uma pessoa com a alma distorcida também terá a alma deturpada. E, juntos, eles podem causar estrago.

— A alma de um livro pode ser distorcida?

O gato acenou com a cabeça.

— Livros mais antigos, especialmente aqueles que têm uma longa história, foram influenciados pelas mentes e almas de muitas pessoas. Esses livros ficam imbuídos de um poder extraordinário, bom ou mau. E quando a alma de tal livro é deturpada... — O gato suspirou. — Bem, isso acaba exercendo um poder muito maior do que eu ou qualquer outra criatura poderia ter.

— Acho que estou começando a entender o que você quis dizer quando falou que este adversário é diferente de todos os outros.

O tom de Rintaro era excepcionalmente calmo e controlado. Na verdade, ele se sentia mais tranquilo do que nunca.

Do lado de fora, o cenário havia mudado novamente. O vasto jardim decorado tinha se transformado em uma velha cidade. A maioria dos edifícios tinha dois andares, com bicicletas penduradas contra suas paredes. Postes de luz amarela piscavam, e máquinas de venda automática emitiam um brilho esbranquiçado. Foi uma cena que Rintaro já tinha visto em algum lugar antes.

— Sinto muito, Sr. Proprietário. — O gato fez uma reverência. — O que nos aguarda está fora de nosso controle.

— Não há necessidade de lamentar — respondeu Rintaro com um sorriso severo. — Sou mesmo muito grato por tudo o que você fez por mim.

— Eu não fiz nada — disse o gato. — Você chegou até aqui por conta própria.

— Mesmo assim... — Rintaro começou, enquanto o balanço da carruagem cessava e a velocidade parecia estar diminuindo. — Eu aprendi muito, graças a você. Agora eu sei o que é importante.

E, com isso, a carruagem estremeceu até parar. Depois de uma breve pausa, a porta se abriu. Um vento frio soprou, fazendo a coluna de Rintaro formigar.

Olhando para fora, ele viu uma paisagem familiar. Ele desceu devagar, passando pelo motorista excessivamente cortês. Quando se virou para olhar para o gato, viu que ele não tinha se mexido e permanecia na escuridão do interior da carruagem, olhando de volta com aqueles olhos de jade.

— Você não vem?

— Não há necessidade. Você está pronto para ir sozinho agora. — O gato deu a ele um sorriso brilhante. — Vá em frente, Rintaro Natsuki.

— É a primeira vez que você me chama pelo meu nome.

— Você conquistou meu reconhecimento. A alma distorcida é forte... — O gato fez uma pausa. — Mas você é mais forte que ela.

Foram palavras poderosas de incentivo, que só poderiam ser ditas por um verdadeiro amigo.

Enquanto Rintaro absorvia aqueles dizeres, teve uma desagradável sensação de frio escorrendo por suas costas. Mas não quis fugir. Ele não podia fugir.

— Vou ver você de novo?

— Pode parar, tá? É clichê demais para um discurso de despedida. — O gato voltava a ser como era antes. Quase... — Adeus, meu corajoso amigo.

As palavras de despedida perfeitas.

Com respeito, o gato abaixou a cabeça para Rintaro, que devolveu o gesto. O menino deu as costas para a carruagem e começou a andar. À sua frente, no final de uma rua estreita, havia um único poste de luz amarela. Embaixo dela, estava uma casinha velha. Rintaro se esforçou para entender a placa pendurada sobre a porta de treliça. Dizia Livraria Natsuki. Foi um detalhe muito divertido.

Destemido, Rintaro marchou em frente. Não importava quão bem-feita, uma farsa sempre seria uma farsa. Não havia lua no céu noturno, e abaixo dela nenhuma árvore ou grama. Não havia luz nas casas vizinhas. Ele nunca tinha visto uma cena mais desconfortável que aquela.

Rintaro foi direto pelo frio da noite, subindo até os degraus de pedra em frente à livraria. Além da familiar porta de treliça, brilhava a única luz clara.

Uma voz ecoou.

— Entre!

Era a voz de uma mulher, calma. No mesmo instante, a porta começou a abrir.

— Bem-vindo, jovem Rintaro Natsuki.

A voz era monótona. Rintaro olhou em volta. Ele estava dentro da Livraria Natsuki, mas ela parecia muito diferente do normal. Não havia um único livro nas prateleiras que revestiam as paredes, o que fazia o lugar parecer vazio e cavernoso. No centro, havia um par de sofás combinando, um de frente para o outro – algo que nunca estivera lá antes. Sentada no sofá de frente para a porta estava uma figura esguia. Rintaro ficou surpreso ao ver uma mulher magra e idosa em um vestido preto formal. Ela estava com as pernas cruzadas e suas longas mãos brancas descansavam sobre os joelhos. A mulher olhou para Rintaro de uma forma que a fazia parecer totalmente indefesa e desamparada, mas ao mesmo tempo havia uma estranha aura indecifrável que a fazia parecer inacessível.

— O que aconteceu com o seu acompanhante felino?

Além dos lábios, nenhum músculo em seu corpo se moveu.

— Ele me disse para vir sozinho.

— Que frieza. Que amigo insensível você tem. — Ela passou os dedos longos pela bochecha. — Uma pessoa poderosa como eu merece um pouco mais de respeito — acrescentou.

Rintaro sentiu um arrepio quando olhou para os olhos escuros e sem emoção dela. Deu um passo para trás. Sua respiração parecia comprimida, emaranhada em uma miríade de invisíveis teias de aranha.

Não havia dúvida de que aquela adversária estava em outro nível. Até agora, tinha sentido a presença de uma alma em cada um dos inimigos que enfrentara. Ou melhor, cada um tinha a própria maneira de pensar sobre livros. Descobrir essa maneira fora a pista necessária para sair do labirinto.

Mas a mulher diante dele agora era uma parede de aço: dura, brilhante e impenetrável. Não existia nenhuma pista, nenhum jeito de entrar, apenas uma frieza profunda e insondável. O Rintaro de antes teria hasteado a bandeira branca, dado meia-volta e fugido. Quando o sangue esfriou nas veias, Rintaro olhou para os pés, esperando encontrar o gato malhado ao seu lado, mas não havia sinal dele.

Ele poderia ter pensado em dez ou vinte bons motivos para fugir no mesmo instante. Em vez disso, manteve-se firme e colocou toda a força que tinha para estabilizar as pernas que tremiam. Dessa vez, não tinha chegado no calor do momento; tinha um propósito.

— Bem-vindo à Livraria Natsuki — disse a mulher, flexionando os dedos. — Espero que tenha gostado da minha produção. Como foi de viagem?

— Vim buscar a Sayo.

A mulher estreitou os olhos.

— Vim buscar a Sayo — ele repetiu, mas isso não fez a expressão no rosto da mulher mudar.

— É mesmo? Você não é tão inteligente quanto pensei que seria — ela disse, suspirando. — Você diz as coisas mais óbvias. Não há qualquer traço de originalidade.

— *"A gente num precisa sê inteligente pra sê bom. Às veiz, eu fico achando que é bem o contrário. Se a gente pega um sujeito bem isperto, ele quase nunca é um sujeito bom de verdade"*[5] — disse Rintaro.

— Steinbeck? Por que você o citou?

— Eu diria que é uma observação muito precisa. Você parece muito inteligente mesmo.

A mulher parou de mexer as mãos e revirou os olhos, sem emoção, para Rintaro.

— Retiro o que acabei de dizer. Parece que você tem um maravilhoso senso de humor. Parece que te chamar aqui valeu o esforço.

---

5. *Ratos e homens*, John Steinbeck. Tradução de Ana Ban. Porto Alegre: L&PM, 2005.

— Sabe, não tenho ideia de suas intenções, mas tentarei ser educado. Obrigado por me receber.

— Meu Deus, você tem o pavio mais curto do que os boatos me alertaram. Ouvi dizer que você é um bom menino. Que não é o tipo que solta farpas.

*Justo*, pensou Rintaro. Mesmo que seu coração estivesse acelerado, a mente estava bastante clara. Foi alimentada pela raiva.

— Vou falar mais uma vez. Deixe a Sayo ir embora. Eu não sei o que você quer comigo, mas ela não tem nada a ver com isso.

— O que eu tenho a tratar com você é simples. Eu só queria conversar — disse a mulher.

Rintaro estava confuso.

— Mas, se queria conversar comigo, poderia só ter me pedido para vir. Por que se preocupar em sequestrar Sayo? Se você tem tanto tempo livre assim para relaxar o dia todo em um sofá chique, ou conduzir um cavalo e uma carruagem pelas fontes do parque, por que não pode só dar uma passada na Livraria Natsuki? Eu até prepararia uma xícara do chá Assam do meu avô.

— Não ache que não pensei nisso. Mas, se eu aparecesse do nada, você teria me levado a sério?

— Levar você a sério?

— Eu quero ter uma conversa séria. Não estou interessada em reações viscerais, banalidades ou atitudes preguiçosas. Quero ver um jovem que realmente ama livros falando sério sobre eles.

A mulher ergueu os dois cantos da boca em um sorriso. Era um sorriso lindo – lindo, mas frio como gelo.

Rintaro estremeceu como se uma mão congelada tivesse roçado seu pescoço. Então, como se quisesse reprimir mais uma vez aquele desejo persistente de fugir, ele começou a falar:

— Vou perguntar de novo: você pegou a Sayo para poder conversar comigo?

— Sim. E, vendo você aqui agora, parece que foi a decisão certa.

Rintaro respirou fundo.

As coisas estavam acontecendo no ritmo dela. Ele nem sabia se isso era ruim ou não. O que sabia com certeza era que não era aconselhável deixar as próprias emoções tirarem vantagem dele; ele precisava pensar com a cabeça no lugar. Especialmente se a mulher queria ter uma conversa séria.

Ela não pareceu satisfeita com o súbito silêncio de Rintaro. Levantou a mão direita e indicou que ele deveria sentar-se no sofá em frente a ela.

Rintaro não se moveu, então a mulher olhou para ele com curiosidade.

— Entendo. Bem, acredito que você ficará mais confortável sentado aqui.

Com um estalar de dedos, o sofá de pelúcia derreteu e foi substituído por um pequeno banquinho de madeira. O mesmo banquinho velho e surrado em que Rintaro sempre se sentava na livraria.

Cada aspecto da atuação daquela senhora fora cuidadosamente planejado. Mas não houve nenhum indício de carinho ou consideração pelo menino que estava tentando continuar em pé. Cada uma das ações dela pareciam ser a maneira mais rápida de alcançar um objetivo.

Rintaro percebeu que lutar contra aquilo era inútil. Ele então se sentou no banquinho.

— Tá certo, o que você quer que eu fale?

— Tão impaciente! Mas eu entendo, você é um menino preocupado com a namorada. Eu perdoo — ela pronunciou as palavras de maneira prática. — Você se importaria de se juntar a mim para um pequeno filme? — perguntou, estalando os dedos de novo.

Uma grande tela de projeção branca apareceu na frente das estantes à direita de Rintaro.

— Aqui está o primeiro...

Enquanto ela falava, a imagem de um magnífico portão em uma longa parede de pedra apareceu na tela. Antes de Rintaro conseguir puxar na memória a cena familiar, a câmera passou pelo portão e entrou na mansão. Entrou pela tradicional porta japonesa, passou por corredores revestidos com pinturas tradicionais, cervos empalhados, estátuas de Vênus e uma variedade de itens decorativos. Por fim, parou na imagem de um homem sentado na varanda *engawa*.

A primeira vez que Rintaro viu esse homem, ele estava vestido com um terno branco brilhante, mas, agora, vestia uma camisa usada e olhava fixamente para o jardim. O excesso de confiança e arrogância de antes tinha ido embora, e ele estava ali sentado observando as carpas nadarem no lago do jardim. Ao lado dele estavam alguns livros, as capas todas amassadas e enrugadas, como se tivessem sido lidos várias vezes.

— Te lembra alguma coisa?

— Sim, é o primeiro labirinto.

— Isso. E foi nisso que deu salvar esses livros. Depois que toda a coleção deste homem foi lançada, os hábitos de leitura dele pioraram. De repente, esse crítico frenético que leu mais de cinquenta mil livros deixou de ser impressionante, e seus seguidores leais rapidamente perderam interesse nele. O cargo que trabalhou tanto para conquistar foi assumido por outro homem que leu sessenta mil livros, e agora ele é uma sombra de seu antigo ser. Perdeu status e honra, e só o que faz todos os dias é ficar sentado olhando para o jardim.

A mulher olhou com indiferença para Rintaro. Um tempo depois, gesticulou para a estante à esquerda e uma nova tela apareceu.

— Vamos ao próximo.

Com essas palavras, apareceu na tela a imagem de um lugar enorme, cheio de pilares brancos. Tinha um teto abobadado alto e piso de pedra polida. As estantes de livros que cobriam todas as paredes estavam cheias e havia estreitas passagens e escadas que levavam a cada direção. Era o segundo labirinto.

No entanto, a biblioteca principal, antes cheia de homens e mulheres em jalecos brancos correndo com livros nos braços, agora estava deserta. Além disso, havia livros e papéis aleatórios espalhados, dando a impressão de que o local estava abandonado. Parecia completamente vazio, exceto por uma figura solitária sentada diante de uma mesa na frente de uma das enormes estantes.

A câmera se aproximou para revelar o rechonchudo estudioso. Quando Rintaro e seus amigos o visitaram, ele estava envolvido em sua pesquisa no escritório do subsolo; agora, encontrava-se largado em uma mesa no canto do cômodo, como se sua alma tivesse deixado seu corpo. A barba do homem tinha crescido e ele olhava para o pequeno livro que segurava na mão.

— Esse gênio desenvolveu um método de leitura dinâmica revolucionário em resposta aos nossos tempos modernos. Agora, abandonou sua pesquisa para passar horas lendo um único livro. Esse acadêmico talentoso, que costumava ser capaz de ler dez livros em um dia, tornou-se uma pessoa comum. Hoje em dia, leva um mês inteiro para terminar uma leitura. Seus livros conquistaram o mundo em dado momento. Mas, agora, eles pararam de vender e os pedidos de palestras pararam de chegar.

— O que você está querendo me mostrar aqui?

— Estou mostrando a você a lacuna entre o idealismo e a realidade. E ainda não terminei.

A mulher acenou com a mão para cima em direção ao teto. Uma terceira tela apareceu, exibindo um alto arranha-céu. Era o terceiro labirinto.

A imagem moveu-se pelos corredores do enorme edifício cinza até o familiar cenário do escritório do presidente da empresa com os três lados repletos de janelas. Ou devia ser a mesma sala, que passara por uma reforma completa. O lustre, o veludo vermelho, as cortinas e o conjunto de sofás de pelúcia tinham sumido, dando ao cômodo uma aparência muito mais simples. O espaço estava lotado de homens em ternos vermelhos, azuis ou pretos, fazendo barulho e conversando.

— Isso vai tirar a empresa do mercado! — gritou um homem de terno vermelho.

— Livros que não estão vendendo precisam ser retirados de circulação imediatamente.

— Não foi você quem disse que os leitores estão procurando algo provocativo e fácil de ler?

Todos os homens de terno lançavam suas queixas na direção de um senhor de estatura baixa. O presidente da empresa, antes tão despreocupado, agora estava sentado com as mãos no topo da cabeça baixa.

— O presidente mudou a política da empresa. Ele parou de tirar os livros que vendiam mal do catálogo e até começou a reimprimir alguns títulos mais antigos e difíceis de encontrar, que haviam sido descontinuados. Como resultado, o desempenho da empresa caiu, e ele está sob pressão para renunciar ao cargo.

A mulher desviou os olhos do teto e voltou-os para Rintaro.

— Isso tudo é o resultado de suas gloriosas aventuras — ela disse em uma voz fria. — O que você acha?

— É terrível — Rintaro conseguiu dizer.

O cômodo estava frio. O frio havia invadido todo o corpo de Rintaro e escorria por suas costas. Uma sensação desconfortável de náusea parecia sufocá-lo.

— Suas palavras tiveram grande repercussão neles, e em suas circunstâncias de vida também. Mas você acredita que foi um bom desfecho?

— Bem, eles não pareciam muito felizes.

— Então você diria que fez algo repreensível?

— O que você está tentando dizer?

— Eu não vou te dizer. Eu quero ouvir você dizer. — A voz dela estava baixa. — Eu não tenho nenhuma resposta definitiva quanto ao que está certo ou errado. Talvez no fim das contas seja essa a razão pela qual chamei você aqui. Você confrontou aqueles três homens para salvar livros. Você se atreveu a conversar com eles e, como resultado, impactou para sempre as filosofias deles. Conseguiu mudar seus valores, mas, como resultado, eles estão todos em apuros. Se eles têm que sofrer assim, qual é o sentido do que você fez?

Rintaro nunca havia pensado muito nessa questão. Seria justo dizer que não esperava que lhe fizessem essa pergunta.

Rintaro nunca teve um plano, ele só estava expressando as próprias opiniões. Não esperava mesmo que os três adversários mudassem seus caminhos, especialmente não àquele ponto. E nunca teria imaginado que alguém pudesse acabar sofrendo por consequência de suas palavras.

Rintaro olhou para as três telas em total perplexidade.

— É um mundinho triste, não acha? — disse a mulher, olhando para o espaço. — As pessoas se cercam de livros ou empanturram-se com seu conhecimento e, em seguida, jogam-nos fora. Outros pensam que, se fizerem uma pilha de livros alta o suficiente, serão capazes de enxergar mais longe. Mas...

A mulher olhou para Rintaro. Seus olhos eram lindos, mas não havia nada por trás deles. Eles eram como bolas de gude.

— Deveria ser assim?

Sem emoção, ela observou a confusão de Rintaro. A luz escura em seus olhos era ilegível. Ela ficou lá como se tivesse o direito de receber uma resposta para aquela pergunta.

— P-por quê? — Rintaro enfim disse, gaguejando. — Por que você está me perguntando isso?

— Eu não sei. Por quê? Eu achei que você teria alguma resposta fascinante para me dar, só isso.

— Por que eu deveria? Eu sou apenas um *hikikomori*. Não costumo sair para ver o mundo.

— Mas você se esforçou tanto para salvar todos aqueles livros, e realmente conseguiu. Hoje em dia a gente raramente vê alguém com uma conexão tão forte com os livros.

— Conexão forte?

— Isso mesmo. Pessoas como você e seu avô são raras. Eu conheci muitos como você, mas, nos últimos dois mil anos, tudo mudou.

Por um momento, Rintaro achou que tinha ouvido errado.

— Dois mil anos?

— Bem, cerca de mil e oitocentos, para ser precisa. Foi quando eu nasci. Tanto tempo se passou desde então.

Rintaro estava pasmo. O alcance da frase "os livros têm um poder extraordinário", que o gato dissera, ia muito além do que podia imaginar. Não havia muitos livros que tinham conseguido sobreviver por mil e oitocentos anos. E, mesmo para Rintaro, extraordinário amante de livros, havia poucos exemplos dos que ainda mantinham grande força depois de todo aquele tempo.

A mulher ignorou o espanto de Rintaro e continuou falando:

— No passado, todos sabiam que os livros tinham almas. Todos que liam sabiam dessa verdade e trocavam as almas entre si. Naquela época, não havia tantas pessoas que conseguiam ter livros, mas aqueles que tinham me apoiaram com mentes inabaláveis, e eu os apoiei de volta. Sinto falta dessa época. Foi realmente gloriosa.

— Mas isso...

— Sei que deve ser difícil para você acreditar.

O murmúrio da mulher interrompeu Rintaro.

— Raramente encontro um livro com alma hoje em dia. Mais do que isso, ninguém sabe que os livros costumavam ter almas. A palavra "livro" passou a significar não muito mais do que uma pilha de papel com letras. Não se trata apenas dos montes de livros que são lidos e jogados fora. Até eu, que por muitos séculos fui lida por todas as pessoas em todo o mundo, raramente conheci alguém que realmente me levasse a sério. Mesmo agora, me apontam como "o livro mais lido no mundo", mas, na realidade, ninguém se preocupa mais comigo. Sou trancada, cortada em pedaços, vendida com desconto. Todas as coisas que você viu em suas viagens estão acontecendo comigo. Eu consegui superar as barreiras de dois mil anos e de dois mil idiomas diferentes e está acontecendo até comigo.

A mulher fechou os olhos como se tentasse suprimir sua dor.

— Vou ser sincera com você.

Os lábios finos dela, quase sem sangue, tremeram.

— Estou perdendo meu poder. Costumava falar sobre tudo o que é importante com tantas pessoas diferentes, mas agora estou começando a me esquecer do que eu costumava falar. Se eu me esquecer completamente, vou me tornar apenas mais um pacote de papel, como todos aqueles livros com nada além de informações e entretenimento.

A mulher abriu os olhos novamente.

— É muito triste. E, na minha tristeza, fiquei curiosa em saber o que você estava pensando. Por que você enfrentou todos aqueles labirintos? Você se tornou uma celebridade aqui neste mundo.

Rintaro não conseguia decidir se a última frase fora uma tentativa da mulher de descontrair ou se ela realmente queria dizer o que disse. De qualquer forma, o peso da questão era o mesmo.

Ele olhou para os próprios pés. Não havia resposta fácil e, ainda assim, pensamentos borbulhavam em sua mente, os quais ele não queria calar. Estendeu a mão direita e tocou na armação dos óculos. Fechou os olhos.

Com os olhos fechados, o conforto familiar do banquinho redondo o transportou de volta para a Livraria Natsuki. Não importava que estivesse em uma versão falsa e reconstruída da loja; sua mente facilmente voltou para onde se sentia em casa.

As velhas estantes de livros, as luminárias retrô, a porta de treliça de madeira que bloqueava a maior parte da luz do sol e o sino de prata que balançava de um lado para outro a cada vez que um cliente entrava. Sua memória aos poucos preencheu as prateleiras com cada um dos livros que leu.

*Os irmãos Karamázov, As vinhas da ira, O conde de Monte Cristo, As viagens de Gulliver*... Rintaro conseguia se lembrar da localização exata de cada livro que leu e, enquanto os vislumbrava em sua mente, sentiu uma calmaria percorrer o próprio corpo.

— Não posso... — Rintaro vacilou, mas fez o possível para organizar as palavras. — Eu não sei a resposta. Mas sei que esses livros me ajudaram muitas vezes. Sou o tipo de pessoa que tende a viver no passado e que desiste com facilidade, mas, de alguma forma, cheguei até aqui porque os livros me fazem continuar.

Ele olhou para o piso de madeira polida enquanto juntava as palavras, uma a uma, das profundezas de sua mente.

— Você tem bons argumentos, mas os livros são mais poderosos do que você pensa. Mesmo que tantos estejam desaparecendo, há tantos outros que sobrevivem.

Ele olhou para cima. A mulher ainda estava lá, imóvel. Rintaro continuou, fixando o olhar nos olhos que pareciam nunca se concentrar em um só local.

— Meu avô costumava dizer que os livros têm um poder extraordinário. Eu não sei como as coisas eram dois mil anos atrás, mas hoje em dia estou cercado de livros fascinantes. Eu convivo com eles todos os dias. Então...

— Que pena.

De repente, surgiu um vento frio. Estava fraco, mas teve força suficiente para interromper a fala de

Rintaro. O calor que emanava da fala foi imediatamente reduzido abaixo de zero. As palavras seguintes da mulher deram um golpe final:

— Você me decepcionou.

Rintaro estremeceu. Ele estava olhando para um vazio. Era um tipo específico de escuridão que se escondia atrás dos olhos da mulher. Talvez fosse tristeza, talvez desespero. Fosse o que fosse, era uma emoção sombria; um abismo que engoliu tudo. Foi uma força que deixou um mero estudante do ensino médio como Rintaro totalmente indefeso.

— Pensamentos por si só não podem mudar o mundo. — Seu tom era resignado. Ela tinha desistido. — Já ouvi muito sobre idealismo juvenil, toneladas de otimismo acalorado. Várias e várias vezes ao longo dos anos. Estou cansada disso. Porque nada muda.

Conforme falava, a voz da mulher foi se tornando mais baixa e mais profunda, e houve uma mudança no ar. Os olhos dela vagavam, as pernas levemente cruzadas e as mãos que descansavam sobre elas estavam pálidas e sem sangue. Era como um boneco de cera, fixa no sofá sem qualquer movimento além dos lábios. Embora tivesse a forma de uma, o que estava diante de Rintaro não era mais uma mulher. Ela tinha se transformado em um enorme ser contorcido, cheio de uma emoção sombria que não tinha saída.

— Já vi todos os tipos de soluções temporárias, medidas provisórias. Compromissos convenientes que não fazem nada além de adiar o problema. Houve debates tolos entre pessoas presunçosas e arrogantes. De vez em quando, os perigos que os livros enfrentavam eram citados, mas não havia nada que pudéssemos fazer para impedir o que vinha pela frente. Acabamos sendo arrastados. Assim como aquelas três pessoas que você conheceu, que mudaram as próprias filosofias de vida e acabaram perdendo o lugar no mundo.

Ela suspirou e, com isso, sua presença opressora pareceu encolher um pouco. Rintaro finalmente se lembrou de respirar. O suor começou a gotejar de sua testa.

— Quando comecei a ouvir rumores a respeito de um menino que amava ler e que estava correndo por aí salvando livros, pensei que talvez ele tivesse algumas palavras de sabedoria para nós. Não que eu tenha acreditado que isso mudaria alguma coisa, mas pensei que talvez ele pudesse nos dar uma dica de como podemos recuperar esse poder que perdemos. — Ela voltou seus olhos vazios para Rintaro. — Mas parece que superestimei você. — Sua mão branca tremeu ligeiramente. — Você deveria voltar para o lugar de onde veio.

Ela acenou com a mão e algo bateu nas costas de Rintaro. A porta de madeira da loja se abriu. Hora de embarcar em sua viagem de volta. Mas Rintaro não conseguia nem levantar a cabeça, quanto mais se levantar do banquinho. Ficou parado ali.

— Terminamos aqui. — A voz da mulher era fria.

Ela se levantou e, como se tivesse perdido o interesse por Rintaro, virou-se e dirigiu-se para os fundos da loja. Rintaro ergueu ligeiramente a cabeça para ver a parede desaparecer e surgir uma passagem. Dessa vez, não havia estantes de livros, lâmpadas no teto, nada, só um corredor escuro e sem fim. O único som eram os estalidos dos sapatos da mulher enquanto ela aos poucos desaparecia.

— Eu posso ir para casa...

A mente de Rintaro vagava como se estivesse em busca de algo.

Enquanto observava a mulher se afastar, perguntou-se por que estava hesitando. Seus melhores argumentos foram rejeitados, suas melhores ideias ridicularizadas e seu orgulho dispensado com um vento frio, mas ao menos nada chegou a machucá-lo. Ele estava livre para desaparecer, retrair os ombros e voltar para sua existência monótona. Poderia esquecer tudo o que acontecera nesses misteriosos labirintos de livros. Afinal, havia tanta coisa que um garoto do ensino médio poderia fazer. Ele não era um super-herói, era apenas um leitor ávido, mal-humorado e tristonho que por acaso chegara ao País das Maravilhas. Embora dessa vez pudesse ficar orgulhoso por ter conseguido encontrar seu caminho por uma série de complicadas discussões, ele era e sempre seria um recluso, um *hikikomori*.

Com um olhar ligeiramente presunçoso no rosto e a aceitação do próprio destino, ele sempre suprimiu o que estava em sua mente e em seu coração. Foi assim que sempre viveu a vida, e estava se saindo muito bem.

Isso não bastava?

Mas...

— Não, não basta — ele murmurou para si mesmo.

Em algum lugar nas profundezas de sua mente havia um brilho. A principal razão pela qual ele estava ali; era como se tivesse conseguido puxar um baú do tesouro naufragado de volta à superfície do mar.

— *Sayo!*

Sua cabeça disparou e ele estremeceu de horror. O som de passos em retirada desaparecia rápido. Ele deu um pulo.

— Espera! Por favor — ele gritou com toda a força, mas sua voz era engolida pelo longo corredor escuro.

O som dos passos da mulher continuou ficando mais distante.

— Onde está a Sayo? Devolve ela, por favor! — Sua voz ecoou desesperada. Não houve resposta além dos passos cada vez mais tênues.

Rintaro se virou e olhou para a porta de treliça atrás dele. Estava totalmente aberta como se dissesse: "Olha só, aqui está o caminho para ir embora! Passe por mim e tudo voltará ao normal. Comum, deprimente, retraído, mas pelo menos não precisa ser corajoso. Você nem precisa de amor-próprio".

Rintaro se imaginou sentado em uma livraria quente e aconchegante. E, ainda assim, seus pés não se moveram. O objetivo dessa viagem não era chegar em casa rápido. Ele não podia ignorar seu verdadeiro propósito. Fechou os olhos, cerrou os punhos e virou-se de costas para a porta. Começou a andar em direção ao corredor escuro no fundo da sala.

Quando entrou, tudo ficou escuro como breu. Ele não conseguia ver nada, nem mesmo os próprios pés. Era impossível se apressar, só podia contar com a sensação do chão firme sob seus sapatos e o barulho que faziam sobre ele.

O suor brotou em suas costas. Ele não olhou em volta, não porque estava calmo e confiante, mas porque sabia que poderia entrar em pânico se não visse uma saída. Nas profundezas de sua mente, emoções negativas fervilhavam: medo, arrependimento, autodepreciação. Se as deixasse vir à tona, poderiam transbordar e não haveria nada que ele pudesse fazer. Rintaro tentou se manter calmo e pensar em outras coisas. Pensou em sua vida escolar, seus preparativos para a mudança, sua tia amigável, a memória de seu avô bondoso e gentil e todos os livros em suas estantes, o enigmático sorriso no rosto do gato malhado e a risada de seus colegas de classe.

Olhou para a frente e continuou andando.

Não conseguia distinguir a figura da mulher, mas ainda podia ouvir o som de seus passos. Pelo menos não estavam indo ainda mais longe. A ansiedade em seu coração começou a diminuir.

Seu passo começou a ganhar alguma força. Enquanto ele caminhava, falava sozinho.

— Sabe, andei pensando nos livros. — Sua voz soou na escuridão.

Não veio resposta. Apenas o monótono clic-clac de sapatos a distância, regular como o tique-taque de um relógio.

— Andei pensando o que seria exatamente esse poder que os livros possuem. Vovô costumava dizer isto o tempo todo: *livros têm um poder extraordinário*. Mas o que é esse poder?

Enquanto falava, um estranho calor começou a arder dentro dele, como um fogo adormecido que queimava apesar de todo o esforço para apagá-lo.

— Os livros podem nos dar conhecimento, sabedoria, princípios, uma visão de mundo e muito mais. A alegria de aprender algo que você não sabia antes e ver coisas de uma forma totalmente nova é emocionante. Mas de alguma forma eu achei que nos deram algo mais importante do que isso.

Rintaro tentou recolher todos os pensamentos dispersos que foram aparecendo em sua mente como flocos de neve e colocá-los em palavras. Cada vez que pensava que tinha conseguido capturar um floco, ele derretia, mas o garoto continuou caminhando perdido em pensamentos, determinado a falar pelo menos uma parte do que queria dizer.

— Eu não acredito que tenho poderes especiais, e isso inclui o poder de mudar qualquer coisa. Mas se tem uma coisa em que sou bom, essa coisa é falar de livros. E eu ainda tenho muito a dizer. Ando pensando sobre o poder dos livros há muito tempo, e eu acredito que encontrei uma resposta.

Rintaro parou de repente, olhando para a escuridão.

— Os livros nos ensinam a cuidar dos outros.

A voz dele não era alta, mas ainda ecoava.

Os passos pararam.

Houve um silêncio tão profundo que parecia engolir tudo. Rintaro olhou para a escuridão, mas não conseguia ver a mulher. Destemido, continuou a falar com a presença que ele sabia que estava lá.

— Os livros estão repletos de pensamentos e sentimentos humanos. Pessoas sofrendo, pessoas que estão tristes ou felizes, rindo alegres. Ao lermos suas palavras e suas histórias, ao passarmos por essa experiência, aprendemos sobre o coração e a mente dos outros, além de nós mesmos. Graças aos livros, é possível aprender todos os dias não apenas sobre quem está ao nosso redor, mas também sobre os que vivem em mundos totalmente diferentes.

Ainda fazia silêncio. Os passos não recomeçaram. Rintaro interpretou isso como um sinal encorajador e continuou falando.

— Não machuque ninguém. Nunca intimide pessoas mais fracas que você. Ajude os necessitados.

Alguns diriam que essas regras são óbvias. Mas a verdade é que o óbvio não é mais óbvio no mundo de hoje. O pior é que algumas pessoas até perguntam por quê. Não entendem por que não deveriam machucar os outros. Não é uma coisa simples de explicar. Isso não é lógico. Mas, se lerem, entenderão. É muito mais importante do que usar a lógica para explicar certas coisas. Os seres humanos não vivem sozinhos, e um livro é uma maneira de mostrar isso a eles.

Rintaro fez o possível para explicar à ouvinte invisível.

— Acho que o poder dos livros é que eles nos ensinam a se preocupar com os outros. É um poder que dá coragem às pessoas e também as apoia.

Rintaro parou por um momento, pensando.

— Porque você parece ter esquecido — ele retomou com toda a força que conseguiu reunir —, eu vou falar o mais alto que consigo. Empatia, esse é o poder dos livros.

Sua voz ecoou no espaço escuro.

À medida que o som desaparecia, o ambiente parecia se iluminar, e, antes que ele se desse conta, estava enxergando. Rintaro se viu de volta na mesma réplica estranha da Livraria Natsuki. Ao lado dele, o banquinho em que esteve sentado e, na frente dele, o sofá, com a mulher de pé atrás dele como se não tivesse saído dali. A porta de entrada permanecia aberta, mas a passagem escura na parte dos fundos da loja não era mais visível. Não havia nada além de uma simples parede de madeira. As três telas ainda mostravam os três homens dos labirintos, nos quais nada havia mudado.

A caminhada pela passagem fora um sonho? Rintaro não sabia mais dizer com certeza quanto disso tudo era verdade.

Mas uma coisa tinha mudado. O próprio Rintaro.

— Sinto muito — disse ele, inclinando a cabeça. — Você pediu para eu ir embora, mas ainda não posso ir. Você não devolveu a Sayo.

A mulher não respondeu. Ainda não havia nenhum indício de luz ou calor em seus olhos, apenas um frio suficiente para fazer qualquer um estremecer.

E, ainda assim, Rintaro não entrou em pânico. Sua oponente era muito maior do que ele. E ele não tinha como expressar todos os seus pensamentos de uma vez. Mas o fato de ela ter parado e se virado para ouvi-lo já era significativo.

— Tantas pessoas estão tentando destruir nossos preciosos livros — disse ela. — Se forem destruídos, os livros perdem seus poderes. Não importa quão poderosos sejam, os livros são frequentemente trancados, cortados, vendidos e, eventualmente, morrem. E tenho certeza de que no futuro isso só vai continuar.

— Sim, mas eles não morrerão.

Com as palavras gentis de Rintaro, o cabelo da mulher pareceu estremecer.

— Mesmo se você tentar destruir um livro, ele não desaparece assim tão fácil. Agora mesmo, em lugares do mundo todo, as pessoas estão ligadas a eles. O fato de você estar aqui comigo agora é a maior prova disso.

As sobrancelhas da mulher moveram-se de surpresa. Essa foi a primeira expressão que passou pelo rosto dela.

Houve uma pausa.

Então, como se estivesse esperando por um momento como esse, uma voz veio do nada:

— Muito bem colocado, garoto.

Era uma voz masculina, forte e confiante.

Rintaro olhou pelo cômodo, mas não havia ninguém lá além da mulher.

— Eu sabia que você conseguiria! Estou impressionado.

Rintaro percebeu que a voz vinha da sua direita e ficou surpreso ao ver o homem na tela sorrindo para ele – aquele do primeiro labirinto. Ele ainda estava sentado em sua varanda, tomando chá.

— Você não tem nada a perder, meu jovem. Basta ser corajoso e gritar para ela. Ei, você! Você fala muito, mas só está parada olhando para o mundo sem fazer nada. É você que está aí criando raízes.

O homem parecia se divertir com a expressão chocada de Rintaro.

— Jovem, é muito difícil fazer as coisas mudarem. Mas você não teve medo de me lançar suas melhores palavras. Eu lhe devo meus agradecimentos. Desde então, tenho descoberto algo novo e surpreendente todos os dias. Como você disse, eu não amava livros de verdade naquela época. Estava cercado por tantos livros que deixei de notar que dentro de cada um havia um mundo sem limites. Dito isso, minha maior descoberta não tem nada a ver com livros. — Ele tomou outro demorado gole de sua xícara de chá. — Descobri que minha esposa sabe preparar uma deliciosa xícara de chá.

Ele riu com tanto gosto que Rintaro sentiu um calor. Enquanto continuava rindo, outra voz veio da esquerda de Rintaro.

— Seja confiante, meu pequeno convidado.

Rintaro voltou sua atenção para a tela do lado esquerdo, de onde o estudioso do segundo labirinto olhava para ele. De bochechas rechonchudas, ele sorriu para Rintaro, que estava boquiaberto. Seus olhos brilharam.

— Não foi você quem acelerou meu Beethoven na fita cassete, pequeno convidado? Lembre-se da coragem que você demonstrou!

Ele deu um aceno gentil e sorriu novamente.

— Trilhe o caminho de sua escolha com coragem. Não seja uma dessas pessoas que ficam olhando a vida passar e reclamam que nada muda. Continue sua jornada, assim como Melos continuou correndo até o fim.

As sobrancelhas finas da mulher franziram.

— Os pensamentos por si só não podem mudar o mundo — ela repetiu.

— Mas você não acha que devemos tentar?

A voz veio do teto acima de Rintaro. Ele ergueu os olhos e viu que o presidente da empresa havia se levantado da cadeira e estava se dirigindo à multidão de homens de terno.

— Não é uma questão de lógica. Trata-se de ter orgulho de quem somos.

O presidente ergueu uma mão surpreendentemente grande para reprimir as vozes de protesto.

— Vocês não se juntaram a esta empresa porque amavam livros? — ele lhes perguntou. Sua voz não era alta, mas era firme.

Os homens imediatamente pararam de gritar.

— Então coloquem de lado toda essa lógica e raciocínio. Vamos conversar sobre nossos ideais em vez disso. Em primeiro lugar, temos o privilégio de publicar livros.

Os homens de terno ajustaram a postura.

Rintaro desviou o olhar do teto para a mulher.

— Não importa quão leve ou superficial seja, uma mudança é uma mudança — continuou.

Dessa vez, a mulher encontrou o olhar de Rintaro sem hesitação. Ele a olhou diretamente nos olhos enquanto dizia:

— Por que é que, embora todos nós acreditemos no poder dos livros, você não parece acreditar?

A mulher não se mexeu. As palavras de Rintaro desapareceram e os dois foram mais uma vez envolvidos pelo silêncio.

Dessa vez, o silêncio não foi fácil de quebrar. Foi profundo e pesado e preenchia o espaço ao redor deles como um silencioso manto de neve. Eventualmente, tornou-se tão opressor que era difícil respirar. Foi o silêncio mais pesado que Rintaro enfrentou no labirinto final.

Enfim, a mulher fechou os olhos.

— Eu odeio isso... — ela murmurou. — De vez em quando, encontro pessoas que falam assim. Isso mostra que não posso perder as esperanças.

Como sempre, sua voz era monótona e impossível de decifrar. No entanto, houve uma inflexão muito leve que não estava lá antes. Rintaro ficou surpreso ao ver um suave brilho em seus olhos. Foi breve e se apagou, dando lugar à escuridão de suas pupilas, mas ele tinha certeza de que esteve ali.

— Empatia... — disse a mulher para si mesma. — Não é uma ideia ruim.

Ela se virou, como se tivesse percebido algo atrás de si. Uma luz começou a encher a livraria, desde a parede mais distante, espalhando-se mais e mais, iluminando o interior escuro. As estantes e as telas começaram a emitir um brilho fraco.

— Acabou o tempo — disse a mulher.

— Que tempo?

— Eu fiz algumas coisas bem imprudentes, não posso continuar assim para sempre. — Ela continuou a olhar para a luz brilhante que preenchia a livraria. — Você realmente deveria ir embora desta vez.

Se não for agora, talvez você não consiga nunca mais voltar para casa. Está tudo bem. Você não precisa se preocupar com sua namorada.

Quando sinalizou que compreendia, a sala foi ficando cada vez mais leve ao redor dele.

— Então isso é uma despedida?

— Sim... Foi...

A mulher pareceu hesitar por um momento.

— Foi um prazer.

— Foi um prazer conhecê-la também — disse Rintaro.

Ele curvou-se profundamente, e a mulher aceitou o gesto com um aceno de cabeça.

— Você tem mesmo algumas qualidades admiráveis. Mas agora você estava sendo só educado, não é? — ela perguntou.

— Não. De jeito nenhum. Por ter te conhecido, percebi algo muito importante.

A mulher observou Rintaro enquanto ele se curvava mais uma vez, demonstrando sua gratidão.

— Que agradáveis palavras de despedida.

Com isso, a mulher levantou a mão e as três telas desapareceram, revelando mais uma vez as tristes e vazias estantes de livros. Então ela estendeu a mão e tocou as estantes. Dessa vez, em uma onda de luz branco-azulada, os livros começaram a aparecer um após o outro nas prateleiras, até que estivessem cheias, com todos os volumes organizados na ordem correta.

— Acho que, no fim das contas, eles ficam muito bem nesse espaço — disse a mulher, sem sorrir.

Rintaro percebeu que essa era a maneira dela de agradecer.

— Eu também — concordou ele. — Acho que fica muito melhor assim.

Ele sorriu para a mulher e, sem expressão, ela acenou de volta. Foi quase imperceptível, mas foi um aceno.

A luz ficou mais forte, envolvendo as estantes, o sofá e os dois. Rintaro não podia fazer nada além de continuar ali.

Os lábios finos e sem sangue da mulher se moveram como se ela fosse dizer algo, mas as palavras não alcançaram os ouvidos de Rintaro. Ela deu as costas. Rintaro ficou impressionado com a naturalidade do comportamento dela, que foi embora sem nenhum sinal de arrependimento.

— Obrigado.

Enquanto Rintaro deixava a luz branca e pura envolvê-lo, teve certeza de que essas eram as palavras de despedida da mulher.

Quanto tempo se passara? Difícil saber.

Rintaro se viu sentado no familiar piso de madeira da Livraria Natsuki. Em seus braços, dormindo tranquila, estava sua colega de classe. Nos fundos da loja estava a parede de madeira e, do lado de fora da porta de entrada, a rua clara e coberta por uma camada de neve.

— Sayo? — ele sussurrou.

Os olhos da garota imediatamente se abriram.

— Natsuki...?

Rintaro suspirou de alívio ao som da voz dela. Olhando para ele, Sayo esperou um momento para falar.

— Você está bem?

— Acho que essa fala deveria ser minha.

Rintaro sorriu com ironia e Sayo sorriu de volta para ele. Era aquele sorriso charmoso e já familiar que ela dava sempre que aparecia para vê-lo. A garota olhou a loja.

— Parece que você conseguiu me trazer de volta, então.

— Esse foi o acordo.

Rintaro pegou a mão de Sayo e levantou-se. Ele olhava para ela de costas para a porta. A luz suave que vinha de fora e brilhava através da treliça a fez parecer mais radiante do que nunca.

— *Bem-vinda de volta* é a coisa certa a se dizer nesta situação? — perguntou Rintaro.

Sayo balançou a cabeça.

— Não.

Ela sorriu para a expressão confusa de Rintaro.

— Você deveria dizer *feliz Natal*.

Era uma expressão pouco familiar para Rintaro, mas soava adorável.

— Feliz Natal — repetiu ele com um sorriso.

# EPÍLOGO

STORIES

# COMO TUDO ACABOU

Clêmatis era a flor favorita de seu avô. O homem tinha um carinho especial pela variedade mais rica e forte de cor azul. Rintaro lembrou-se do rosto do avô apertando os olhos sob o sol brilhante do início do verão, enquanto admirava as pétalas abertas. Seu nome japonês, literalmente "flor de arame de ferro", parecia adequar-se às suas elegantes linhas retas e curvas suaves melhor do que o nome botânico. Ele se lembrou de como o avô falava mais do que o comum enquanto enchia os vasos de plantas em frente à loja com clêmatis.

*Eu consigo fazer isso*, ele pensou, quando começou a regar as plantas. Sentia-se mais em paz do que tinha estado ultimamente.

Fazia três meses que o avô tinha falecido. As estações haviam mudado e trazido consigo uma mudança da paisagem. A neve sob o beiral tinha derretido, as flores de ameixa haviam desabrochado e os botões das cerejeiras estavam prestes a se abrir.

À medida que as estações fluíam, seguindo seus cursos, Rintaro vinha seguindo sua rotina. Toda manhã, às seis, ele abria a porta de treliça para arejar a loja. Pegava uma vassoura e varria os degraus da frente, regava as plantas – agora cobertas de folhas novas e frescas – e, em seguida, varria o interior da loja.

— Tudo sob controle, hein?

Quando estava quase terminando a limpeza, ouviu a voz alegre de Sayo e ela entrou carregando o instrumento no estojo preto. Rintaro tinha descoberto que ela tocava clarinete baixo. Nunca tinha ouvido falar do instrumento, mas fontes confiáveis disseram que Sayo era a única na banda que conseguia tocá-lo.

— Você faz isso dia após dia.

Ela se sentou em um banquinho no meio da loja.

— É mesmo necessário limpar a loja todos os dias?

Rintaro riu enquanto tirava os livros da prateleira e espanava um por um.

— Tudo bem. Você e eu somos pessoas diferentes. Eu não tenho atividades no período da manhã.

Livros novos me chamam a atenção toda vez que eu os limpo, então é muito divertido.

— Você é muito nerd.

Sayo estava sendo direta como sempre, o que Rintaro achava ótimo.

— Mas este livro é terrível, não acha?

Enquanto ela falava, pegou um grosso livro de capa dura da bolsa.

— Eu simplesmente não entendo.

Rintaro fez uma careta. Era *Cem anos de solidão*, de Gabriel García Márquez. Ele tinha começado indicando Jane Austen, depois Stendhal, Gide, Flaubert – todas histórias de amor, pensando que seriam leituras divertidas para ela, mas, na semana anterior, Sayo anunciou que estava pronta para experimentar outros gêneros. Rintaro sugeriu García Márquez.

— Você realmente leu esse inteiro? — ela perguntou.

— Claro. Mas já faz um tempo.

— É, você é estranho. Eu não consigo entender uma palavra disso. É muito difícil.

— É um bom sinal.

Rintaro riu enquanto tirava a poeira da estante mais próxima. Sayo olhou para ele com um olhar confuso.

— Por quê?

— Se você acha que é difícil, é porque tem algo novo ali para você. Cada livro difícil nos oferece um novo desafio.

— Do que você está falando? — Sayo não parecia convencida.

— Se você se depara com um livro fácil de ler, significa que é tudo coisa que você já sabe — continuou ele. — É por isso que é fácil. Se você acha difícil, é prova de que é algo novo.

Enquanto Rintaro ria, Sayo o observava como se ele fosse algum animal exótico.

— Você é mesmo esquisito, né?

— Isso é meio maldoso.

— Mas não é algo ruim. — Sayo apoiou a testa na mão e olhou para Rintaro. — Na verdade, é legal.

A mão de Rintaro parou de se mover de repente. Ele olhou na direção de Sayo e a viu sorrindo para ele.

— Suas orelhas ficaram vermelhas — disse ela.

— Eu sou um garoto inocente. Ao contrário de algumas pessoas.

— O que você quer dizer com inocente? Você está sempre lendo romances eróticos como *Lolita* e *Madame Bovary*. Acho que você é um pervertido em segredo.

— Se continuar falando desse jeito, não vou te vender mais livros.

— Eu só estou brincando — disse Sayo, alegre, ficando de pé. No entanto, ela não foi em direção à porta da frente, mas até os fundos da loja.

— Esse lugar acaba mesmo aqui, né?

— Se não acabasse, nós teríamos um problema.

— Seria um problema, mas ainda assim é uma pena. Agora parece que foi tudo um sonho.

Às vezes, Rintaro pensava que devia ter sido um sonho. Mas, mesmo que tivesse sido, algo estava perfeitamente claro para ele agora. Ele não estava sozinho.

🐈‍⬛

— Decidi que gostaria de ficar na livraria.

Era véspera de Natal, uma hora antes da van de mudanças chegar, quando Rintaro finalmente disse aquilo. Pensou que seria ultrajante, mas sua tia não tinha ficado surpresa. Ela cruzou os braços e devolveu o olhar do sobrinho. O silêncio constrangedor que se seguiu pareceu demorado, mas deve ter durado só alguns segundos.

— Aconteceu alguma coisa, não foi, Rin-chan? — ela disse com bastante calma.

A pergunta foi uma surpresa para Rintaro. A tia sorriu diante da confusão do menino.

— Não se preocupe com isso. Não presumo que você vá explicar tudo para uma tia de meia-idade que mal conhece.

Claro, Rintaro não poderia contar a ela suas bizarras aventuras com um gato falante. Mais do que isso, não tinha compreendido totalmente como a experiência o havia mudado. Mas, o que quer que fosse, ele tinha decidido que era hora de agir por conta própria. Tinha uma escolha. Rintaro sabia disso agora. Havia muitas estradas para escolher. O importante era não se deixar caminhar sem rumo, mas escolher um caminho.

"Como posso seguir em frente se não acredito em mim mesmo?" No fundo daquele labirinto, Rintaro se fizera essa pergunta. Suas palavras se transformaram em força e ele se sentiu capaz de continuar sozinho.

Sua tia viu que ele não ia mais falar, então continuou:

— Viver sozinho não vai ser demais para você?

— Demais?

— Digo, isso é por que você odeia a ideia de viver com um parente distante? Você não está só inventando coisas para não sair daqui?

— Não, não é isso.

— Tem certeza?

— Sim — ele respondeu, rápido e com total confiança.

Sua tia ficou lá por um tempo, com os braços ainda cruzados. Finalmente, ela deu um aceno decisivo.

— Tá certo, então. Se você aceitar minhas três condições, talvez eu concorde.

— Quais condições?

— Número um é que você vá para a escola.

*Opa*, Rintaro pensou. Então ela sabia que ele não estava indo...

— A segunda condição é que você me ligue três vezes por semana. Só para me avisar que está bem. E, então, a terceira condição... — Ela descruzou os braços, colocou as mãos sobre o generoso quadril e se inclinou na direção dele. — Se você tiver qualquer problema, não tente resolver tudo sozinho, peça minha ajuda. Não é fácil para um estudante viver sozinho.

Rintaro foi pego de surpresa. Sua tia era gentil; tudo o que fizera fora por consideração ao sobrinho. Se ela estivesse na livraria naquela época, ele sabia que ela teria conseguido ver o gato e a misteriosa passagem.

— Ligar para você três vezes por semana pode ser um pouco complicado.

— Hum. O que será que é mais complicado, isso ou ligar para a empresa de mudanças e cancelar um contrato uma hora antes de chegarem? Você gostaria de trocar de lugar comigo?

A tia também era inteligente.

— Obrigado — disse Rintaro, baixando a cabeça.

Ele ouviu a tia murmurar para si mesma:

— Olhe só você, Rintaro. Você ficou igual ao seu avô.

Não havia melhor elogio.

🐈

— Cada livro difícil oferece um desafio totalmente novo, é? — disse Sayo, olhando para seu exemplar de *Cem anos de solidão*.

— Aliás, García Márquez é um dos autores favoritos do Akiba — comentou Rintaro. — Aposto que ele leu todos esses títulos.

— Tanto faz, não me diga isso. Agora me sinto ainda menos inclinada a lê-los.

Ela olhou para Rintaro enquanto colocava o livro pesado de volta na bolsa.

— Mas, se eu não gostar, vou colocar a culpa em você.

— Foi Gabriel García Márquez quem escreveu, não eu.

— Mas foi você quem recomendou, e não Gabriel García Márquez.

Sua tia, Sayo... Rintaro ficou maravilhado pelo fato de estar rodeado de mulheres tão inteligentes.

— Ah, não!

Sayo deu um pulo. Tinha acabado de perceber que o treino da banda estava prestes a começar. Pegou o clarinete baixo da mesa e correu em direção à porta.

— Natsuki, não falte hoje.

— Não vou. Prometi à minha tia que iria pra escola.

Ele a acompanhou até a porta e viu que o céu estava lindo e claro. Uma bicicleta de entrega amarela passou, brilhante contra o azul do céu.

Sayo desceu os degraus em frente à loja, mas virou-se como se tivesse esquecido algo.

— Ei, você quer sair para jantar algum dia? — ela perguntou sem cerimônia.

Rintaro ficou completamente pasmo. Piscou duas vezes, incapaz de acreditar no que estava ouvindo.

— Você quer jantar comigo?

— Sim.

— Por quê?

— Porque, se eu esperasse você me convidar, nunca ia acontecer.

Rintaro ficou ainda mais pasmo. Sayo suspirou e encolheu os ombros.

— É muito bom conversar dentro da livraria, mas você precisa tomar um pouco de sol às vezes ou ficará doente. Você realmente quer que seu avô no céu fique preocupado com você?

— Se eu sair para jantar com uma garota, o vovô vai mesmo ficar preocupado.

(Isso é o que ele gostaria de dizer, caso seu cérebro não tivesse ficado completamente em branco.)

— Se você quer mesmo — disse Rintaro. Era tudo que conseguia dizer.

— É, sim — falou Sayo. Foi uma resposta clara; não havia mais nada a dizer.

Ela deu o sorriso mais lindo que ele já tinha visto e partiu estrada abaixo. Enquanto ele ouvia seus passos, o queixo de Rintaro caiu.

— Sayo! — conseguiu gritar.

A colega se virou.

— Obrigado.

Sua voz tímida saiu mais alta do que ele esperava.

Sayo parecia surpresa. Ele não era normalmente tão direto, mas suas palavras foram alimentadas por muitos sentimentos.

Na verdade, sentia muitas coisas por essa amiga que tinha aparecido para cuidar dele tantas vezes. Ele vinha lutando para demonstrar tudo isso a ela, mas "obrigado" parecia suficiente.

Sayo ainda estava lá, e ele ergueu a voz de novo:
— Estou muito grato. Muito por sua causa.
— O que houve com você de repente? Que nojo.
— Ei, Yuzuki, parece que você está ficando corada.
— Não estou!

Ela se virou e correu pela estrada. O sol forte caiu sobre as costas de Rintaro e ele sentiu seu uniforme esquentar contra a pele. Enquanto via Sayo partir, de repente ouviu uma voz profunda em seu ouvido:
— Boa sorte, Sr. Proprietário.

Assustado, Rintaro se virou e olhou em volta, mas claro que não havia ninguém ali. Ele pensou ter visto de relance as costas de um gato malhado desaparecendo por cima da cerca do outro lado da rua, mas não conseguia ter certeza. A rua parecia a mesma que sempre fora.

Ele ficou ali por um momento antes de dar um pequeno sorriso.
— Vou dar o meu melhor — disse Rintaro. Ele olhou para o céu.

Voltaria para dentro, terminaria a limpeza, tomaria uma xícara do chá Assam de sempre e leria algumas páginas de um livro. Quando chegasse a hora, fecharia a loja, pegaria sua mochila e iria para a escola. Ir para a escola podia até ser chato, mas ele não queria acumular mais ausências e irritar a representante da classe.

Os problemas permaneceram, e ele ainda não tinha resolvido completamente nenhum deles, mas agora tudo o que podia fazer era seguir o caminho que escolhera para si mesmo.

Deixando a porta de treliça aberta, voltou para a loja e pegou o jogo de chá. Ferveu a água na chaleira e despejou-a no bule de chá bem usado do avô. Ouviu risos vindos da rua. Eram as crianças da escola primária local passando a caminho da escola. A presença de mais pessoas sinalizava o início de um novo dia.

Rodeado pelo agradável aroma do chá, Rintaro abriu seu livro com cuidado.

Uma brisa suave roçou a campainha da porta, que ecoou um alegre toque.

# NOTA DA TRADUTORA

Sempre quis traduzir algo do gênero da fantasia, e esta história encantadora sobre livros e leitura, para mim, foi fascinante. Quem não ama um gato falante?

O *gato que amava livros* contém quatro labirintos, tanto uma referência clássica ao antigo mito grego de Teseu e o Minotauro como uma interpretação mais moderna do labirinto tal qual uma jornada de autodescoberta. Ao longo de todo o romance, Rintaro Natsuki confronta monstros na forma de pessoas que maltratam livros, bem como seus próprios demônios. A literatura ocidental é frequentemente referenciada, mas, ao mesmo tempo, este é um livro muito japonês.

Rintaro é um *hikikomori*: um termo japonês que não é fácil traduzir. Literalmente, significa puxar para dentro e confinar, refere-se a pessoas, muitas vezes jovens garotos, que decidiram por escolha própria afastar-se da sociedade, raramente se aventurando fora da escola ou do trabalho. Em 2019, o governo japonês estimou que somavam mais de um milhão de pessoas. Só se pode presumir que esse número aumentou nos últimos dois anos, com a pandemia de covid-19.

O termo *hikikomori* tornou-se mais amplamente reconhecido no mundo de língua inglesa, sendo reconhecido pelo Dicionário Oxford em 2010, por isso decidi mantê-lo no texto em vez de traduzir acompanhado de alguns detalhes para lembrar o leitor de seu significado.

Também mantive outras expressões idiomáticas japonesas difíceis de traduzir, como características arquitetônicas tradicionais. Há, por exemplo, o *engawa*, uma espécie de varanda de madeira que circunda a extensão de uma casa tradicional japonesa, e a *fusuma*, uma porta deslizante feita de madeira e papel.

Impossível de manter, no entanto, é a ausência de pronomes na língua japonesa. O inglês precisa deles para que a escrita ou fala soem naturais. Palavras japonesas para "ele" ou "ela" existem, mas raramente são usadas, e nunca neste romance. Sabemos, porque está afirmado no texto, que Rintaro é um menino e Sayo é uma menina. O gato apresenta um desafio ainda maior. Nunca é referido como "ele" ou "ela", o gênero desse personagem é indeterminado.

Na verdade, as pistas estão em sua linguagem. Em japonês, há diferentes estilos de fala que tendem a ser mais femininos ou masculinos e, na língua original, o gato soa mais como um macho do que como uma fêmea.

Louise Heal Kawai, 2021
tradutora do japonês para o inglês

**Acreditamos
nos livros**

Este livro foi composto em Literata Light e impresso pela Gráfica Santa Marta para a Editora Planeta do Brasil em fevereiro de 2025.